# Guía de conversación

GUÍA ESENCIAL PARA EL VIAJERO

# Guía de conversación

Ana María Caetano Gallego
João Bernardo Filho

GUÍA ESENCIAL PARA EL VIAJERO

ESPASA

*Director Editorial:* Víctor Marsá
*Coordinadora Editorial:* Alegría Gallardo
*Editora:* Paloma Grande
*Documentación y redacción de contenidos:* Ana María Caetano Gallego,
João Bernardo Filho
*Diseño de cubierta:* Juan Pablo Rada



Depósito legal: M. 12.414-2005
I.S.B.N.: 84-670-1764-3



Espasa, en su deseo de mejorar sus publicaciones, agradecerá cualquier sugerencia que los lectores hagan al departamento editorial por correo electrónico: sugerencias@espasa.es

Impreso en España / Printed in Spain
Impresión: Unigraf, S. L.

Editorial Espasa Calpe, S. A.
Vía de las Dos Castillas, 33 – Complejo Ática, Edificio 4
28224 Pozuelo de Alarcón (Madrid)

# Índice

# Índice

# Índice

# Presentación

Si tienes pensado desplazarte a Portugal, esta *Guía de conversación* será sin duda una magnífica compañera de viaje. Aunque no domines el portugués podrás hacerte entender en situaciones muy diversas e incluso comprender parte de lo que te pregunten. Te ayudará a comunicarte en cualquier momento, desde el instante mismo de tu llegada. Aquí encontrarás claves y soluciones para poder expresarte en todas las situaciones imaginables durante tu estancia en el país. Da igual que viajes en avión o haciendo autostop, que vayas a un hotel o te decidas por el camping, que te acompañen niños o una persona con alguna discapacidad... Se ha pensado en todas esas situaciones y para todas encontrarás la frase oportuna y el vocabulario que puedas necesitar.

A lo largo de la *Guía* encontrarás también pequeñas indicaciones socioculturales que te ayudarán a moverte por el país con confianza, acercándote a sus usos y costumbres: horarios de comida, tipos de restaurantes, transportes más económicos o rápidos, fiestas más señaladas... Incluso aquellos gestos que debes evitar porque tienen un significado cultural distinto en ese país.

Esta *Guía* se divide en seis grandes secciones temáticas, donde se han recogido las frases más apropiadas para las distintas situaciones que podrás encontrarte a lo largo de tu viaje: *Relaciones sociales, Desplazamientos, Alojamiento, Comidas y bebidas, Turismo y compras, Emergencias y salud.* Cada una de ellas aparece identificada con un icono: te será fácil moverte entre ellas y localizar lo que necesitas para comunicarte.

Al abrir cualquiera de estas secciones podrás distinguir los siguientes apartados:

- **Frases útiles para expresarte.** Recoge todas las frases que precises en diferentes momentos de tu viaje. Al lado de la frase en español (¿Me puede ayudar?), encontrarás su traducción al portugués, destacada en color (Podia ajudar-me?), y su transcripción en cursiva

*(Podía aGiudármm?)*. Este último elemento está pensado para facilitarte al máximo la pronunciación de las frases o de las palabras... y garantizar que tu interlocutor te comprenda.

- **Lo que puedes oír.** Se recogen frases que, en una situación concreta, puedes necesitar comprender: preguntas de tus interlocutores, posibles respuestas de éstos a tus preguntas o también mensajes orales de carácter general que podrías escuchar a través de megafonía, por ejemplo en una estación de trenes, en un aeropuerto...
- **Lo que puedes ver.** Incluye carteles, rótulos, advertencias o indicaciones escritas que podrás encontrar durante tu estancia en el país. Hemos recogido desde los mensajes que puedes ver en los carteles de los aeropuertos hasta las indicaciones que aparecen escritas a bordo de un barco.
- **Palabras que puedes necesitar.** Presenta, alfabéticamente, todo el vocabulario que puedes necesitar para expresarte en una situación determinada.
- **Notas de advertencia** que contienen información sociocultural, para ayudarte a evitar situaciones conflictivas.

Por último, al final de la *Guía* hemos incluido dos prácticos anexos:

- **Lo que necesitas saber** incluye información básica para hacer referencias al tiempo atmosférico, para aludir a horarios o al calendario...
- **Diccionario de viaje** se trata de un práctico diccionario bilingüe que recoge cerca de 2.000 palabras, diferentes a las que se han presentado a lo largo de la *Guía*. En él presentamos las palabras más usuales que puedes necesitar en una conversación. No se recoge el vocabulario específico, puesto que éste podrás encontrarlo, contextualizado, en cada una de las secciones temáticas. Por ejemplo, todo el vocabulario de alimentos lo encontrarás en las páginas 101-107, dentro de la sección *Comidas y bebidas*.

Esta fiel compañera de viaje te resultará muy útil y será sin duda el elemento menos pesado de tu equipaje. ¡Cuando cierres tu maleta o tu mochila no olvides comprobar que la llevas contigo!

# Pronunciación

Por todos es bien sabido que, para un hispanohablante, la dificultad de la lengua portuguesa no radica tanto en su escritura como en su fonética y, por esto, pensamos que será de gran ayuda la transcripción que acompaña a las frases y al vocabulario presentados en esta guía. En ocasiones, se considera necesario ofrecer la variante brasileña para un término o expresión, en tales casos, se especificará con las indicaciones «(PT)/(BR)» cuál es el vocablo luso y cuál el brasileño.

Se pretende simplemente que el usuario pueda identificar con facilidad los sonidos y pronunciarlos sin demasiadas complicaciones, apoyándose en sonidos y grafías del español y de otras lenguas de uso generalizado como francés o inglés.

A continuación, presentamos de una forma genérica algunos aspectos fonéticos del portugués, así como las claves para la interpretación de los sonidos de esta lengua.

## Claves de pronunciación

### Consonantes

**b / v**

La **b** se pronuncia igual que en español, pero la **v** representa un sonido que se produce uniendo el labio inferior a los dientes superiores, es decir, como la **v** catalana o inglesa.

**c, ç, ss**

Estas grafias se corresponden con la **s** española, aunque con un sonido un poco más silbante. Ej.: li**ç**en**ç**a (*li**s**en**s**a*).

**s** intervocálica y **z**

Ambas reproducen un sonido de **s** sonora, parecido al zumbido de una abeja, y casi igual a la **s** intervocálica inglesa y francesa.

# Pronunciación

En la transcripción que proponemos, las hemos representado como *ss*. Ej.: fa**z**em (*fa**ss**eim*).

**s** y **z** final de palabra o sílaba

Estas letras representan un sonido que tiende a la palatalización (la lengua toca el paladar al pronunciarlo). En la transcripción, lo hemos representado como *sh*.

Ej.: grupos (*grúpu**sh***).

**ch**

Nos recuerda al sonido que emitimos cuando pedimos silencio. Equivale aproximadamente a la **sh** inglesa de *show* y a la **ch** francesa. En la transcripción, lo hemos representado con *sh*. Ej.: preen**ch**er (*preensher*).

**x**

Esta grafía representa una gran variedad de sonidos, y sólo el conocimiento de la palabra nos ayudará a pronunciarla correctamente. A veces, suena como **sh,** otras veces como **s,** otras como **ss** y otras como **cs.** Ejs.: dei**x**ar (dei**sh**ár), pró**x**ima (*pró**s**ima*), ta**x**i (tácsi).

**g** seguida de e/i y **j**

Tienen por lo general un sonido parecido a la pronunciación de la **j** francesa.

La **g** seguida de **a**, **o**, **u**, suena igual que en español en las palabras «gato, gorra, gusto», pero con una pronunciación más fuerte, confundiéndose a veces con la **k** o la **qu** españolas.

**l**

Se pronuncia de forma muy semejante a la **l** inglesa o catalana, excepto antes de vocal y al final de palabra donde suena como una especie de **u**.

**r**

Entre vocales suena como la erre del español y la hemos transcrito como **r.** Pero suena muy similar a la **j:** cuando se escribe duplicada (**rr**), en comienzo de palabra, antes de consonante y al final de palabra cuando no va seguida de otra palabra que comience por vocal. En la transcripción de estos casos, hemos empleado la *j,* excepto a principio de palabra donde transcribimos como *rr.*

**h**

Al igual que en español, es muda.

**m**

Igual que en español, aunque muchas veces nasaliza la vocal que la precede.
Ej.: bagagem (bagajãim).

## Grupos consonánticos

Debemos advertir que en portugués no existen las letras **ñ** y **ll**, pero encuentran su equivalente perfecto en los grupos consonánticos **nh** y **lh**, respectivamente. En la transcripción que proponemos, nos hemos ayudado de las letras *ñ* y *ll* para representar estos grupos de consonantes.

# Pronunciación

## Vocales

En portugués, existen 8 vocales orales (el aire sale solo por la boca al pronunciarlas) que reciben el acento de la palabra y, además, existen la **ã** y los diptongos **ão, ãe** y **õe** que reproducen sonidos nasales (el aire se expulsa solo por la nariz).

La **i** y la **u,** en posición acentuada, se pronuncian como en español.
**a, e** y **o**, tienen dos variantes: una abierta y otra cerrada.
La **a** abierta se pronuncia igual que la española.
La **e**, es la vocal que más variedades presenta:
En sílaba no acentuada, se suele cerrar hasta sonar casi como la **i** española (así aparecerá en la transcripción); con acento circunflejo (ˆ) se pronuncia abierta, parecida a la **e** española.
La **e** es la vocal que más tiende a ser pronunciada de forma relajada, por lo que el usuario de la guía podrá observar que en muchas ocasiones no aparece en la transcripción y que se ha sustituido esa ausencia duplicando la consonante que la precede. Ej.: Parque **de** campismo *(Párque **dd** campíshmu).*

Con la **o,** ocurre algo parecido y se pronuncia como la **o** española cuando aparece en sílaba acentuada, cerrándose en las no acentuadas hasta parecerse a nuestra **u** (así figura en la transcripción).

# Relaciones sociales 1

Como es sabido, el portugués es una lengua muy próxima al español y, por lo tanto, de fácil comprensión para el hispanohablante, sobre todo en la lengua escrita. La principal dificultad que encuentra un español a la hora de entablar una conversación con un lusohablante, sea brasileño o portugués, es su pronunciación, pues existen algunas diferencias fonéticas entre las dos lenguas. A pesar de estos pequeños inconvenientes, un español no tendrá ninguna dificultad a la hora de comunicarse en portugués. !

En Portugal y Brasil, de la misma forma que en España, cuando nos presentan a alguien lo habitual es darle la mano. También es normal —aunque depende de la situación— dar dos besos.

# 1 Relaciones sociales

## 1.1 Datos personales

**Identificarse.** La forma más común de identificarse en Portugal y Brasil es presentando el documento de identidad —*bilhete de identidade (PT) / RG (registro geral) (BR)*—, que cuenta con un número identificativo propio, igual que el DNI español, aunque también es posible hacerlo mediante el pasaporte *(passaporte)* o el permiso de conducir —*carta de condução (PT) / carteira de habilitação (BR)*.

### Frases útiles para expresarte

| | |
|---|---|
| Encantado, me llamo João | **Muito prazer, o meu nome é João**<br>*Múi(n)to prassêr, u mêu nômm é Giuãu* |
| Yo me llamo Ana y mi apellido es López | **Eu chamo-me Ana e o meu apelido é López**<br>*Êu shamo-mm Ana i u mêu apelidu é López* |
| He nacido en Lisboa, soy portugués | **Eu nasci em Lisboa e sou português**<br>*Êu nash-sí ãim Ishbôa i sô portuguêsh* |
| Ella es de Rio de Janeiro, es carioca | **Ela é de Rio de Janeiro, é carioca**<br>*Éla é de Jio de Gianeiro, é carióca* |
| Nosotros vivimos en Madrid, España | **Nós moramos em Madrid, Espanha**<br>*Nósh morámush ãim Madrid, Eshpáña* |
| Ana es mi novia | **Ana é a minha namorada**<br>*Ana é a míña namurada* |
| Nosotros no tenemos hijos, pero sí dos perros | **Nós não temos filhos, mas temos dois cães**<br>*Nósh nãu témos fillus, mash témos doish cãesh* |
| Yo tengo treinta y siete años | **Eu tenho trinta e sete anos**<br>*Êu tâñu trínta i sett ânosh* |
| Ana es profesora, yo soy traductor | **A Ana é professora, eu sou tradutor**<br>*A ana é prufsóra, êu sô tradutór* |
| Yo estoy casado / soltero. Ella está divorciada | **Eu sou casado / solteiro. Ela é divorciada**<br>*Êu sô cassádu / solteiru. Ela é divursiada* |
| Mi número de teléfono es: 91 5123456 | **O meu número de telefone é: 91 5123456**<br>*U meu númmru dd ttlefóne é nóve u(m) sinco, dosse, trinta i cuatro, cincuenta i seis* |

| | |
|---|---|
| Aquí tengo el carné de conducir, pero en casa tengo el pasaporte | **Aqui tenho a carta de condução, mas em casa tenho o passaporte**<br>*Aquí tãñu a cárta dd condusãu, másh ãim cássa tãñu u pasapórtt* |

## Lo que puedes oír

| | |
|---|---|
| **Como é que se chama?** | ¿Cómo se llama? |
| **Podia dizer-me o seu nome e apelidos (PT) / sobrenome (BR)*?** | ¿Podría decirme su nombre y apellidos? |
| **Quantos anos tem?** | ¿Cuántos años tiene? |
| **Onde mora?** | ¿Dónde vive? |
| **É casado(a)?** | ¿Está casado(a)? |
| **Qual é a sua profissão?** | ¿En qué trabaja? |
| **O senhor/você é médico?** | ¿Usted es médico? |
| **Qual é o seu número de telefone?** | ¿Cuál es su número de teléfono? |
| **Podia dar-me o seu endereço?** | ¿Me da su dirección? |
| **Você tem passaporte ou bilhete de identidade?** | ¿Tiene pasaporte o carné de identidad? |

## Palabras que puedes necesitar

| | | |
|---|---|---|
| año | **ano** | *ânu* |
| apellido | **apelido (PT) / sobrenome (BR)** | *applídu / sobrenómi* |
| calle | **rua** | *júa* |
| carné de conducir | **carta de condução (PT) / carteira de habilitação (BR)** | *cárta de condusãu / cartera de abilitasãu* |
| casado(a) | **casado(a)** | *cassadu(a)* |
| ciudad | **cidade** | *cidadd* |
| dirección | **morada (PT) / endereço (PT-BR)** | *enderêsu* |
| español | **espanhol** | *shpañól* |
| hijo(a) | **filho(a)** | *fíllu(a)* |
| nombre | **nome** | *nomm* |
| pasaporte | **passaporte** | *pasapórtt* |
| portugués | **português** | *purtuguesh* |
| brasileño | **brasileiro** | *brassileru* |
| profesión | **profissão** | *profisãu* |
| teléfono | **telefone** | *ttlefónn* |
| trabajo | **trabalho** | *trabállu* |

* Atención: *Apelido* también existe en la vertiente brasileña, pero significa mote, o un calificativo con el que se distingue especialmente a una persona.

# 1 Relaciones sociales

## 1.2 Saludos y presentaciones

### Saludar, presentarse y despedirse

#### Frases útiles para expresarte

| | |
|---|---|
| ¡Buenos días! | Bom dia!<br>*Bô(m) día!* |
| ¡Buenas tardes! | Boa tarde!<br>*Bôa tárdd!* |
| ¡Buenas noches! | Boa noite!<br>*Bôa nôitt!* |
| ¡Hola! | Olá!<br>*Olá!* |
| Hola, ¿cómo está? | Olá, como está? (PT) / Oi, tudo bem? (BR)<br>*Olá, comushtá?/ Oi, tudo bein?* |
| Bienvenido(a). ¿Ha tenido un buen viaje? | Bemvindo(a), fez boa viagem?<br>*Bemvíndu(a), fesh boa viágieim?* |
| Bienvenido(a) a nuestra casa | Benvindo(a) à nossa casa<br>*Benvíndu(a) â nósa cása* |
| ¿Qué tal le va? | Como vai?<br>*Cómu vai?* |
| Bien, gracias. ¿Y usted? | Bem, obrigado(a). E o señor / você?<br>*Bãim ubrigádu(a). I u señór / vosê?* |
| Muy bien, gracias | Muito bem, obrigado(a)<br>*Muítu bãim, ubrigádu(a)* |
| Más o menos | Mais ou menos<br>*Maish ô menús* |
| ¿Cómo se llama? | Como é que se chama?<br>*Cómo é que se sháma?* |
| Encantado, me llamo Mateo | Muito prazer, chamo-me Mateo<br>*Múi(n)to prassér, shamu-mm matéu* |
| ¿Le presento a Lucas? | Apresento-lhe o Lucas?<br>*Apressentu-lle u lucash?* |
| Adiós, me voy | Adeus, tenho de ir embora<br>*Adêush, tãñu dd ir imbóra* |
| Que tenga un buen día, me voy a trabajar | Bom dia, tenho de ir trabalhar<br>*Bô(m) día, tãñu dd ir traballár* |
| Adiós, ¡hasta pronto! | Adeus, até qualquer dia!<br>*Adêush, até cualquér día!* |

**Iniciar una conversación.** Tanto en Brasil como en Portugal, tendrá pocas dificultades para hacerse entender. Podrá apreciar el buen conocimiento que de España y del español tienen los brasileños y portugueses.

## Frases útiles para expresarte

| | |
|---|---|
| Por favor, ¿me puede decir dónde están los servicios? | Por favor, você pode dizer-me onde está a casa de banho (PT) / banheiro (BR)?<br>*Por favôr, podía/s disser-mm onda stá a cassa de baño / bañero?* |
| Sí, claro, por supuesto | Sim, com certeza<br>*Sí(m), com sertéssa* |
| Pero, ¿usted es la señora Carmen Rodrígues? | Mas, você é a senhora Carmen Rodrígues?<br>*Másh, vosê é a señóra carmen rodrigues?* |
| Sí, soy yo | Sim, a própria<br>*Sím, a própria* |
| ¿La puedo ayudar? | Posso ajudá-la?<br>*Posu aGiudála?* |
| Gracias, ¡es usted muy amable! | Obrigado(a), o senhor é muito amável!<br>*Ubrigádu(a), u señór é muitu amável!* |
| No he entendido. Por favor, ¿puede repetir? | Não percebi (PT) / entendi (BR). Por favor, pode repetir?<br>*Nãu persebí / entendí. Pur favór, podía jeptir?* |
| Perdone | Desculpe<br>*Deshkúlpe* |
| No se preocupe | Não se preocupe<br>*Nãu s preocúpp* |
| No es nada / No pasa nada | Não faz mal<br>*Nãu fash mal* |
| Por favor, ¿podría decirme la hora? | Por favor, que horas são?<br>*Pur favor, qué oras sãn?* |
| Querría coger un taxi | Gostava (PT) / gostaria (BR) de apanhar um taxi<br>*Gustáva / gostaría dd apañar um tacsi* |
| Perdone ¿dónde está la parada del autobús? | Desculpe, onde está a paragem do autocarro? (PT) / Desculpe, onde está o ponto do ônibus? (BR)<br>*Dshculpe, ondd shtá a paraGem du autucajo / ur favór / Dsculpe, onde stá u pontu dgi ónibus?* |

# 1 Relaciones sociales

| | |
|---|---|
| Hablo solo un poco portugués / español / francés | **Eu falo só um pouco português / espanhol / francês**<br>*Êu fálu só u(m) pôcu purtuguésh / español / francés* |
| Le presento al señor Cubeiro | **Apresento-lhe o senhor Cubeiro**<br>*Apressentu-lle u señor Cubeiro* |
| Encantado, es un placer para mí conocerle | **Foi um prazer conhecê-lo**<br>*Foi u(m) prasser cuñéselu* |
| ¿Le puedo interrumpir un momento? | **Desculpe, posso interrompê-lo um momento?**<br>*Deshcúlpp, pósu intejompélo u(m) momentu?* |
| ¿Me puede hacer un favor? | **Podia fazer-me um favor?**<br>*Podía fásser-mm u(m) favór?* |
| Si quiere, le puedo acompañar yo, vivo por esa zona | **Se quiser, eu posso acompanhá-lo, moro nessa zona**<br>*Si quissér, êu pósu âcompañálo, moru nésa ssona* |

## Lo que puedes oír

| | |
|---|---|
| **O que é que deseja?** | ¿Qué desea? |
| **Deseja falar com alguém?** | ¿Quiere hablar con alguien? |
| **Posso ajudá-lo nalguma coisa?** | ¿Puedo ayudarle en alguna cosa? |
| **Alguna vez tomou um café neste bar?** | ¿Ha tomado alguna vez un café en este bar? |
| **Mas, nós já nos vimos alguma vez nalgum lado?** | Pero, ¿no nos hemos visto ya en algún lado? |
| **Claro, com certeza!** | ¡Claro, por supuesto! |
| **Está muito calor (PT) / Faz muito calor (BR), não acha?** | Hace mucho calor, ¿verdad? |

## 1.3 Frases de cortesía

**Agradecer, disculparse, invitar.** El lusohablante es, por regla general, muy educado y cortés y, por supuesto, espera y agradece ser tratado de la misma manera. Es algo que deberemos tener muy en cuenta en un viaje. A la salida o entrada de un ascensor, autobús, metro o en una tienda tendremos que hacer gala de buenos modales y prestar una especial atención a las mujeres y a las personas mayores. En cualquier situación en la que alguien piense que puede molestar, por pequeño que sea el motivo, tendrá que emplear un sonoro *Desculpe*.

## Frases útiles para expresarte

| | |
|---|---|
| Gracias / Muchas gracias | **Obrigado(a) / Muito obrigado(a)**<br>*Ubrigádu(a) / Múi(n)tu ubrigádu(a)* |
| De nada | **De nada**<br>*Dd nada* |
| Se lo agradezco mucho | **Agradeço muito**<br>*Agradésu múi(n)tu* |
| Usted es verdaderamente amable | **O senhor / você é realmente amável**<br>*U señór / vosê é jialmentt amável* |
| Es un placer | **Muito gosto**<br>*Múi(n)tu góstu* |
| Encantado(a) | **Muito prazer**<br>*Múi(n)tu prassêr* |
| Estoy completamente a su disposición | **Fico à sua inteira disposição**<br>*Fícu a súa inteira dishpussisãu* |
| Este helado / zumo de naranja está verdaderamente bueno | **Este gelado (PT) / sorvete (BR) / sumo de laranja é realmente bom**<br>*Éshte Gládu / sorvetchi / súmo dd larânGia é jialmentt bóm* |
| Perdone si le molesto | **Desculpe se o incomodei**<br>*Deshcúlppsi u incomódéi* |
| No me molesta en absoluto | **Não me incomoda nada**<br>*Nãu me incumôda náda* |
| Por supuesto, faltaba más | **É claro, com certeza**<br>*É claru, com sertéssa* |
| Lo lamento muchísimo | **Lamento imenso (PT) / Lamento muito (BR)**<br>*Laméntu imensu / Lameinto muitu.* |
| No se preocupe | **Não se preocupe**<br>*Nãu si priucúpe* |
| Soy todo oídos | **Sou todo ouvidos**<br>*Sô tódu ôvidush* |
| ¿Quiere comer / beber algo? | **Deseja comer / beber alguma coisa?**<br>*DséGia cumér / bebêr algúma côisa?* |
| Por favor, ¿qué desea? | **O quê deseja?**<br>*U qui dseGia?* |
| ¿Le puedo ofrecer algo? | **Posso oferecer-lhe alguma coisa?**<br>*Pósu ufereser-lle algúma côisa?* |
| ¿Ha desayunado ya?, ¿ha comido / cenado ya? | **Já tomou o pequeno-almoço (PT) / café da manhã (BR)?, já almoçou / jantou?**<br>*Giá tomô u piqueno almósu / café da mañãn? Giá almusô / Giantô?* |

| | |
|---|---|
| ¿De verdad no quiere beber nada? | **Realmente não quer beber nada?**<br>*Jialmentt nãu quer bebêr nâda?* |
| ¿Quiere un cigarrillo? | **Quer um cigarro?**<br>*Quer u[m] sigaju?* |
| ¿En qué le puedo ayudar? | **Posso ajudá-lo?**<br>*Pósu aGiudálu?* |
| ¿Puedo pasar? | **Posso entrar?**<br>*Pósu entrár?* |
| Por favor, pase | **Faz favor de entrar**<br>*Fásh favôr dd entrár* |

## 1.4 Preguntas y exclamaciones

**Cómo preguntar y cómo exclamar.** Al igual que en español, a la hora de formular una pregunta o cuando se exclama, se utilizan pronombres, adjetivos y adverbios. Como se puede observar en los siguientes ejemplos, la construcción de las preguntas se realiza de forma similar al español.

### Frases útiles para expresarte

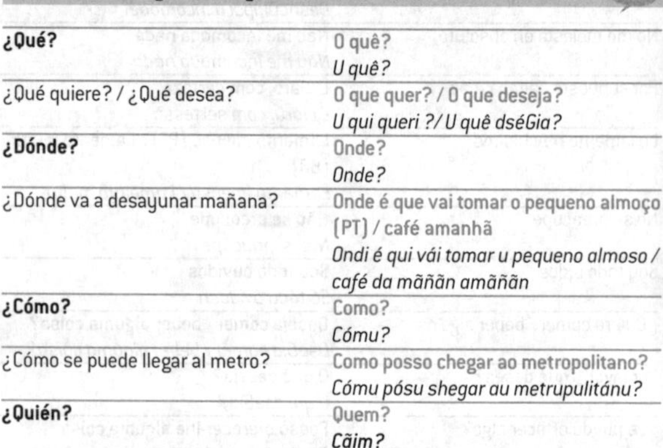

| | |
|---|---|
| **¿Qué?** | **O quê?**<br>*U quê?* |
| ¿Qué quiere? / ¿Qué desea? | **O que quer? / O que deseja?**<br>*U qui queri ?/ U quê dséGia?* |
| **¿Dónde?** | **Onde?**<br>*Onde?* |
| ¿Dónde va a desayunar mañana? | **Onde é que vai tomar o pequeno almoço (PT) / café amanhã**<br>*Ondi é qui vái tomar u pequeno almoso / café da mãñãn amãñãn* |
| **¿Cómo?** | **Como?**<br>*Cómu?* |
| ¿Cómo se puede llegar al metro? | **Como posso chegar ao metropolitano?**<br>*Cómu pósu shegar au metrupulitánu?* |
| **¿Quién?** | **Quem?**<br>*Cãim?* |

Debes tener en cuenta que en portugués los signos de interrogación y de exclamación se ponen solo al final de la frase.

| | |
|---|---|
| ¿Quién es? | Quem é?<br>*Cãimé* |
| **¿Cuánto?** | Quanto?<br>*Cuántu?* |
| En Faro, ¿cuánto cuesta un prego* en la mesa? | Em Faro, quanto custa um «prego» servido na mesa?<br>*Ãim Fáru, cuántu cúshta u(m) prégu servídu na mésa?* |
| **¿Cuándo?** | Quando?<br>*Cuándu?* |
| ¿Cuándo sale el tren para Lisboa? | Quando é que sai o combóio (PT) / trem (BR) para Lisboa?<br>*Cuándu é que sai u combóiu / treim para Ishbôa?* |
| **¿Por qué?** | Por quê?<br>*Purqué?* |
| ¿Por qué no nos vamos de vacaciones juntos? | Por quê é que não vamos juntos de férias?<br>*Púrqui é que nãu vámush Giúntus dd fériash?* |
| **¿Cuál?** | Qual?<br>*Cuál?* |
| ¿Cuál de estos autobuses me lleva al centro? | Qual destes autocarros (PT) / ônibus (BR) vai para o centro?<br>*Cuál deshtish autucajos / ónibus vai para u sentru?* |
| ¡Qué ha hecho! | O quê é que fez!<br>*U qui é qu fesh!* |
| ¡A saber dónde se habrá metido! | Onde é que estará!<br>*Onde é queshtará!* |
| ¡Qué bonita es Lisboa! | Que linda é Lisboa!<br>*Que linda é Lishboa!* |
| ¡Qué simpático es! | É muito simpático!<br>*É múi(n)to simpáticu!* |
| ¡Vaya lío que ha armado! | Olhe o sarilho que provocou!<br>*Ólle u sarillo que provocóu!* |
| ¡Qué afortunado! | Que sorte que ele tem!<br>*Que sórte qui éle tãim!* |
| ¡Muchas felicidades! | Muitas felicidades!<br>*Múi(n)tash felicidades!* |
| ¡Mucha suerte! | Muita sorte!<br>*Múi(n)ta sortt!* |

* *Prego:* lusitanismo popular, bocadillo de carne de vacuno.

# 1 Relaciones sociales

**Preguntas más habituales.** En este apartado presentamos una serie de preguntas que escucharás habitualmente y que a menudo querrás formular.

## Frases útiles para expresarte

| | |
|---|---|
| Pero, ¿habla portugués? | **Mas, fala português?**<br>*Mash fála portuguêsh?* |
| Por favor, ¿podría repetir? | **Por favor, podia repetir?**<br>*Por favôr pudía jepetír?* |
| Perdone, ¿puede hablar más despacio? | **Desculpe, pode falar mais devagar?**<br>*Deshcúlpp podd fálar maish ddvagár?* |
| Perdone, ¿qué significa esta palabra? | **Desculpe, qual é o significado desta palavra?**<br>*Deshcúlpp cuál é u significádu deshta palávra?* |
| ¿Usted es español / portugués / francés / inglés? | **O senhor / você é español / francês / português / inglês?**<br>*U señór / vosê é español / fransésh / portugués h/ inglésh?* |
| ¿Puedo ayudarle en algo? | **Posso ajudá-lo nalguma coisa?**<br>*Pósu aGiudálu nalgúma coisa?* |
| Perdone, ¿de dónde es? | **Desculpe, donde é?**<br>*Deshkúlpe/a dóndi é?* |
| Perdone, ¿cuántos años tiene? | **Desculpe, quantos anos tem?**<br>*Deshkúlpe cuántush anush tãim?* |
| Por favor, ¿podría deletrearme su apellido? | **Por favor, podia soletrar o seu apelido?**<br>*Pur favór pudía suletrár u seu applídu?* |
| Por favor, ¿me puede decir cómo se pronuncia esta palabra? | **Por favor, podia dizer-me como se pronúncia esta palavra?**<br>*Pur favór pudía dissermm cómu se pronunsia éshta palabra?* |

# 1.5 Afirmaciones y negaciones

**Cómo afirmar y cómo negar.** En portugués —al igual que en español— se utiliza *sim*, para responder afirmativamente y *não* para hacerlo de forma negativa. También se puede contestar afirmativamente, respondiendo con el mismo verbo que se utilizó en la pregunta: *Queres comer? Quero, sim.*

## Frases útiles para expresarte

| | |
|---|---|
| ¡Sí, qué bien! | **Sim, óptimo!**<br>*Si(m) ótimu!* |

| | |
|---|---|
| Sí, gracias, encantado(a) | **Sim, obrigado(a), muito prazer**<br>*Si(m) ubrigádu(a) múi(n)to prassêr* |
| Vale | **Está bem**<br>*Shtá bãim* |
| ¡Sin duda! | **Sem dúvida!**<br>*Sãim dúvid!* |
| Sí, es verdad | **Sim, é verdade**<br>*Si(m) é verdádd* |
| Sí, ¿sabe? ¡es realmente una buenísima idea! | **Sim, sabe? Realmente é uma ideia óptima!**<br>*Si(m) sabe/sh rialmentt é úma idéia ótima!* |
| De acuerdo | **De acordo. Certo**<br>*Diacord. Sértu* |
| No, gracias, no tengo hambre / sed | **Não, obrigado(a), não tenho fome / sede**<br>*Nãu ubrigádu(a) nãu tãñu fómm / sedd* |
| No, lo siento, nunca bebo nada mientras trabajo | **Não, lamento, nunca bebo nada enquanto estou a trabalhar (PT) / trabalhando (BR)**<br>*Nãu laméntu núnca bébu nada encuántu shtou a traballár / traballãndu* |
| No, por desgracia, ahora no tengo tiempo | **Não, infelizmente agora não tenho tempo**<br>*Nãu infelishmentt agóra nãu tãñu témpu* |
| No, voy más tarde | **Não, vou mais tarde**<br>*Nãu vou maish tardd* |
| No lo sé | **Não sei**<br>*Nãu sei* |
| Hoy no tengo ganas de ir a la playa | **Hoje não tenho vontade de ir à praia**<br>*ÓGie nãu tãñu vontádd dd ir a práia* |
| No, lo siento, pero me resulta imposible | **Não, lamento, mas é impossível**<br>*Nãu, laméntu mash é impusível* |
| No, no es verdad | **Não, não é verdade**<br>*Nãu, nãu é verdadd* |
| No, no hay nada que hacer | **Não se pode fazer nada**<br>*Nãu si pódd fassér náda* |
| No, nunca jamás | **Não, nunca mais**<br>*Nãu, nunca maish* |
| Ni hablar de eso | **Nem falar disso**<br>*Neim falár dísu* |

## 1.6 Descripciones sencillas

**Describir cosas y personas.** Como se observa en los ejemplos siguientes, el portugués utiliza el verbo *tener* para indicar datos concretos (años, hijos, posesiones, etc.). Se utiliza el verbo *ser* para definir cualidades (el color del pelo, datos sobre nuestro carácter, etc.).

### Frases útiles para expresarte

| | |
|---|---|
| Soy alto(a) / bajo(a) / de estatura media | **Sou alto(a) / baixo(a) / de estrutura média**<br>*Sô áltu(a) / baishu(a) / dd shtrutúra média* |
| Soy flaco(a) / gordo(a) / de complexión media | **Sou magro(a) / gordo(a) / de complexão média**<br>*Sô mágru(a) / górdu(a) / dd complecsãu média* |
| Lucía es alta /baja | **Lucia é alta / baixa**<br>*Lusia é alta / baisha* |
| Soy moreno(a) / rubio(a) / castaño(a) | **Sou moreno(a) / loiro(a) / castanho(a)**<br>*Sô murénu(a) / loiru(a) / cashtañu(a)* |
| Soy simpático(a) / antipático(a) | **Sou simpático(a) / antipático(a)**<br>*Sô simpáticu(a) / antipáticu(a)* |
| Mi abuela era portuguesa / española / francesa | **Minha avó era portuguesa / espanhola / francesa**<br>*Minhavó éra purtuguéssa / española / francesa* |
| Tengo veinte años | **Tenho vinte anos**<br>*Tãñu vintianush* |
| Tengo el pelo largo / corto / rapado / rizado | **Tenho o cabelo comprido / curto / rapado / encaracolado**<br>*Tãñu u cabélu cumprídu / cúrtu / japádu / encraculádu* |
| María tiene los ojos negros / azules / verdes / marrones | **Maria tem olhos pretos / azuis / verdes / castanhos**<br>*Mâría tãim óllush prétush / assúis / vêrdesh / castaños* |
| Vosotros tenéis una bonita casa | **Vocês têm uma casa linda**<br>*Vosêsh tãiem úma cássa línda* |
| Llevo / uso gafas | **Uso óculos**<br>*Usso óculush* |

| | |
|---|---|
| Llevo puestos unos vaqueros y una camisa | Visto calças de ganga (PT) / calças jeans (BR) e uma camisa<br>*Víshtu úmash cálsash dd gánga / calsas Giens y uma camissa* |
| Se me reconoce fácilmente por mi abrigo negro / el periódico / la maleta roja | Sou facilmente reconhecido pelo meu sobretudo preto / o jornal / a mala vermelha<br>*Sô fásilmentt recuñesídu pélu meu subretúdu prêtu / u Giurnál / a mála vermélla* |
| Mi coche tiene un remolque verde | O meu carro tem um reboque verde<br>*U meu cáju tãim u(m) rebóqu vêrdd* |

## Palabras que puedes necesitar

| | | |
|---|---|---|
| ***Formas*** | | |
| cuadrado | quadrado | *cuadrádu* |
| ovalado | oval | *oval* |
| rectangular | rectangular | *jetángular* |
| redondo | redondo | *jedóndu* |
| ***Tamaños*** | | |
| alto(a) | alto(a) | *áltu(a)* |
| ancho(a) | largo(a) | *lárgu(a)* |
| bajo(a) | baixo(a) | *baíshu(a)* |
| estrecho(a) | estreito(a) | *shtreitu(a)* |
| fino(a) | fino(a) | *fínu(a)* |
| flaco(a) / delgado(a) | magro(a) | *mâgru(a)* |
| gordo(a) | gordo(a) | *górdu(a)* |
| grande | grande | *grándd* |
| grueso(a) | grosso(a) | *grósu(a)* |
| mediano(a) | médio(a) | *médiu(a)* |
| pequeño(a) | pequeno(a) | *piquénu(a)* |
| ***Colores*** | | |
| amarillo(a) | amarelo(a) | *amarélu(a)* |
| azul | azul | *assúl* |
| blanco(a) | branco(a) | *brâncu(a)* |
| castaño(a) | castanho(a) | *cashtâñu(a)* |
| gris | cinzento(a) (PT) / cinza (BR) | *sinssêntu(a) / sinssa* |
| malva | lilás | *lilás* |
| marrón | castanho(a) (PT) / marrom (BR) | *cashtâñu(a) / majom* |
| moreno(a) | moreno(a) | *murénu(a)* |

| | | |
|---|---|---|
| naranja | cor-de-laranja | *côr-dd-larânGia* |
| negro(a) | preto(a) | *pret(a)* |
| pelirrojo(a) | ruivo(a) | *juivu(a)* |
| rojo(a) | vermelho(a) | *verméllo(a)* |
| rosa | cor-de-rosa | *côr-dd-rósa* |
| rubio(a) | loiro(a) | *loiru(a)* |
| verde | verde | *vêrdd* |
| ***Aspecto y estado*** | | |
| bonito(a) | bonito(a) | *bunítu(a)* |
| feo(a) | feio(a) | *féiu(a)* |
| nuevo(a) | novo(a) | *nóvu(a)* |
| viejo(a) | velho(a) | *vêllu(a)* |

## 1.7 Comunicaciones

**Llamar por teléfono.** Cuando quiera realizar una llamada telefónica desde Portugal o Brasil, podrá hacerlo desde las cabinas telefónicas que se encuentran en la calle o desde algún establecimiento hostelero. En Brasil, las cabinas funcionan con tarjetas y son conocidas como *orelhão*; en Portugal, funcionan con monedas y también con tarjetas *credifone* que se pueden adquirir en estancos, quioscos, etc. En los últimos años, ha aumentado el uso del teléfono móvil —*telemóvel* (PT) / *celular* (BR)—.

### Frases útiles para expresarte

| | |
|---|---|
| Sí, ¿dígame? | **Estou, sim? (PT) Alô? (BR)**<br>*Shtou si(m)? / Alô?* |
| ¡Hola! ¿Está Miguel? | **Olá! O Miguel está?**<br>*Olá! u Miguél shtá?* |
| Querría hablar con el señor / la señora Freire | **Queria falar com o senhor/ a senhora Freire**<br>*Cría falár com u señór/a señóra Freire* |
| ¿Quién pregunta por él / ella? | **Quem fala?**<br>*Cãim fála?* |
| Espere un minuto, por favor | **É favor esperar um momento**<br>*Ɛ favôr shperár u(m) momêntu* |
| Le vuelvo a llamar dentro de diez minutos | **Volto a ligar em dez minutos**<br>*Voltu a ligár ãim desh minútush* |
| No, ¡no está! ¿Quién es? | **Não, não está. Quem é?**<br>*Nãu, nãu eshtá. Cãim é?* |
| Perdone, me he confundido | **Desculpe, foi engano**<br>*Deshkúlpe foi engánu* |

| | |
|---|---|
| Lo siento, la señora / el señor no quiere que le molesten | Lamento, a senhora / o senhor não quer ser incomodado<br>*Laméntu a señóra / u señór nãu quer ser incumudádu* |
| Perdone, ¿dónde puedo comprar una tarjeta telefónica? | Desculpe, onde posso comprar um cartão telefónico?<br>*Deshkúlpe ónde pósu comprár u(m) cartãu telefónicu?* |
| Perdone, ¿dónde hay un teléfono público? | Desculpe, onde há um telefone público?<br>*Deshkúlpe ondi á u(m) ttlefóne públicu?* |
| ¿Qué prefijo hay que marcar para llamar a Lisboa? | Qual é o indicativo para telefonar a Lisboa?<br>*Cuál é u indicativu pra telefunár a Ishbôa?* |
| No le oigo bien | Estou a ouvir mal<br>*Shtou a ouvír mál* |
| Por favor, ¿puede repetir? | Por favor, podia repetir?<br>*Pur favór, podía reptír?* |
| ¿Me podría dar una guía de teléfonos? | Podia facilitar-me uma lista telefónica?<br>*Pudía fasilitár-mm úma líshta telefónica?* |
| ¿A qué hora puedo encontrarlo en casa? | A quê horas posso encontrá-lo em casa?<br>*Aquiorash pósu encontrálu ãim cása?* |
| ¿Puedo volver a llamar más tarde? | Posso ligar mais tarde?<br>*Pósu ligar maish tárdd?* |

## Lo que puedes oír

| | |
|---|---|
| Um momento, se faz favor | Un momento, por favor |
| Quer deixar uma mensagem? | ¿Quiere dejar un mensaje? |
| Não está neste momento | En este momento no está |
| Por favor, aguarde | Por favor, espere |
| A linha está ocupada | La línea está ocupada |
| Passo a senhora / o senhor Silva | Le paso con la señora / el señor Silva |
| Por favor, deixe a sua mensagem depois de ouvir o sinal sonoro | Por favor, deje un mensaje después de oír la señal sonora |
| Marque o número de telefone | Marque el número de teléfono |
| Eu volto a ligar | Le vuelvo a llamar yo |
| No cinema é proibido deixar o telemóvel (PT) / celular (BR) ligado | En el cine está prohibido tener encendido el móvil |

# 1 Relaciones sociales

## Palabras que puedes necesitar

| | | |
|---|---|---|
| cabina telefónica | cabina | *cabína* |
| centralita | central | *sentral* |
| contestador automático | respondedor automático (PT) / secretária eletrônica (BR) | *jeshpundedór autumáticu / secretaria eletrónica* |
| guía de teléfonos | lista telefónica | *líshta telefónica* |
| mensaje | mensagem | *mãinsáGiem* |
| número de teléfono | número de telefone | *númeru dd ttlefóne* |
| prefijo | indicativo (PT) / prefixo (BR) | *indicatívu / preficsu* |
| tarjeta telefónica | cartão telefónico | *cartãu ttlefónicu* |
| teléfono móvil | telemóvel | *ttlemóvel* |

■ **Correos.** Si deseas comprar sellos, puedes hacerlo en las oficinas de Correos (*Correios*) o en los quioscos. Las oficinas de correos, por lo general, suelen estar abiertas de 09.00 a 18.00 de lunes a viernes. Las oficinas principales además abren los sábados. El correo aéreo desde Portugal y las Azores a cualquier destino de Europa Occidental tarda tres días. Desde Madeira, son cinco días. Hay servicio de lista de correos *(Poste Restante)* en casi todas las oficinas de correos del país.

## Frases útiles para expresarte

| | |
|---|---|
| ¿Dónde se encuentra la oficina de correos más cercana? | **Onde é que está a Estação de correios mais próxima?** *Ondié que shtá a Eshtasãu dd cojéiush mais prócsima?* |
| Querría enviar este paquete | **Queria enviar este pacote** *Cria envíar eshte pacótt* |
| Es un paquete frágil | **É um pacote frágil** *É u(m) pacótt frágil* |
| Por favor, déme diez sellos para países de la Unión Europea | **Por favor, queria dez selos para paises da União Europeia** *Pur favór, cria desh sélus prá paíssesh da Uniãu Européia* |
| ¿Me puede decir donde está el buzón más cercano? | **Podia dizer-me onde está a caixa de correios mais próxima?** *Pudía disser-mm ônde eshtá a caisha dd cojéius mais prócsima?* |

| | |
|---|---|
| ¿Cuánto cuesta una carta certificada para España? | **Quanto custa uma carta registada para a Espanha?**<br>*Cuántu cúshta úma cárta jegistáda pra Ɛspãña?* |
| ¿Dónde está la ventanilla para los giros postales? | **Onde está o guichë para os giros postais?**<br>*Óndd eshtá u guishê pra us gírus poshtáis?* |
| Tengo que cobrar este cheque | **Tenho de cobrar este cheque**<br>*Tâñu dd cubrár éshte shéc* |
| ¿Cuánto cuesta cada palabra? | **Qual é o preço por palavra?**<br>*Cuál é u présu pur palavra?* |

**Fax**

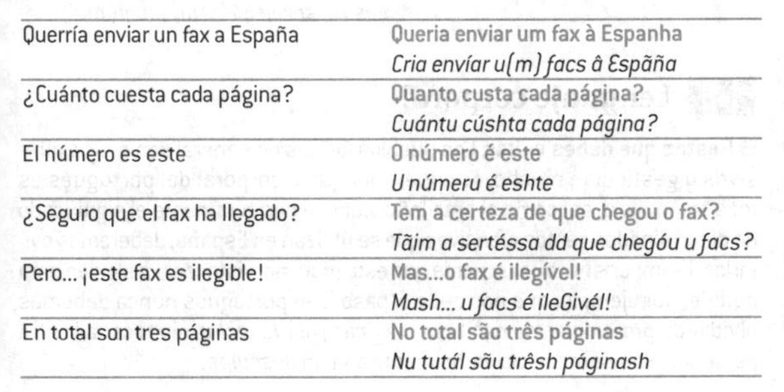

## Frases útiles para expresarte

| | |
|---|---|
| Querría enviar un fax a España | **Queria enviar um fax à Espanha**<br>*Cria envíar u(m) facs â Ɛspãña* |
| ¿Cuánto cuesta cada página? | **Quanto custa cada página?**<br>*Cuántu cúshta cada página?* |
| El número es este | **O número é este**<br>*U númeru é eshte* |
| ¿Seguro que el fax ha llegado? | **Tem a certeza de que chegou o fax?**<br>*Tãim a sertéssa dd que chegóu u facs?* |
| Pero... ¡este fax es ilegible! | **Mas...o fax é ilegível!**<br>*Mash... u facs é ileGivél!* |
| En total son tres páginas | **No total são três páginas**<br>*Nu tutál sãu trêsh páginash* |

**Internet.** En Portugal y Brasil, al igual que en España, hay muchos sitios desde donde se puede acceder a Internet. Están muy de moda los cibercafés, donde uno puede consultar su correo electrónico o navegar mientras se toma un café.

## Frases útiles para expresarte

| | |
|---|---|
| ¿Me podría decir dónde se encuentra el cibercafé más cercano? | **Podia dizer-me onde está o cibercafé mais próximo?**<br>*Podía dissermm onde shtá u sibercafé maish prósimo?* |

| | |
|---|---|
| ¿Cuánto cuesta cada hora? | Quanto custa cada hora?<br>*Cuántu cushta câda hóra?* |
| ¿Podría enviar un correo electrónico? | Podia enviar um correio electrónico?<br>*Pudia enviar u(m) cujéio eletrónicu?* |
| Dispone de conexión a Internet? | Dispõem de conexão à Internet?<br>*Dishpoeim dd conecsãu â Internet?* |
| ¿Cómo se envia un archivo adjunto? | Como se envia um ficheiro anexo?<br>*Cómu se envía u(m) fisheiru anécsu?* |
| ¿Tiene ADSL? | Tem ADSL?<br>*Tãim adsl?* |
| Esta es la dirección de mi página web | Este é o endereço do meu site<br>*Eshte é u enderésu du meu sait* |
| A mí no me gusta chatear | Eu não gosto de chat<br>*Eu nãu góshtu dd shát* |
| ¿Este ordenador tiene un antivirus? | Este computador tem antivirus?<br>*Éshte computadór tãim antivírush?* |
| ¿Puedo descargar un programa? | Posso descarregar um programa?<br>*Posu deshcajegár u(m) prugráma?* |

## 1.8 Lenguaje corporal

**Gestos que debes evitar.** Los pueblos latinos en general son muy expresivos y gesticulan mucho. Aunque el lenguaje corporal del portugués es más tranquilo y, así como el brasileño, conoce perfectamente el significado de determinados gestos ofensivos que se utilizan en España, deberemos evitarlos. Es importante que recuerde que está muy mal visto tocar a alguien para pedirle, por ejemplo, que nos ceda el paso... en portugués nunca debemos olvidar de pronunciar las palabras mágicas (*por favor*) y, sin tocar a la otra persona, expresarnos solo verbalmente con un *desculpe*.

## 1.9 Citas

**Iniciar una conversación con un desconocido.** Establecer una conversación con un portugués o un brasileño es muy fácil, pues siempre estarán dispuestos a ayudarnos en todo aquello que les solicitemos. Siempre tendremos que emplear fórmulas muy educadas cuando queramos solicitar cualquier información.

### Frases útiles para expresarte

| | |
|---|---|
| Perdone, ¿puedo abrir la ventanilla? | Desculpe, posso abrir a janela?<br>*Deshkúlpe, pósu abrír a Gianéla?* |

| | |
|---|---|
| Claro, ¡adelante! | Pode, com certeza!<br>*Póde, com certessa!* |
| Perdone ¿me da fuego? | Desculpe, tem lume (PT) / isqueiro (BR)?<br>*Deshkúlpe, tãim lúmm / isquero?* |
| Lo siento, pero no fumo | Lamento, mas não fumo<br>*Laméntu, mash nãu fúmu* |
| ¿Puedo echarle una ojeada al periódico? | Posso dar uma olhadela no jornal?<br>*Posu dar úma ulladéla nu Giornál?* |
| Perdone, ¿sabe qué hora es? | Desculpe, sabe que horas são?<br>*Deshkúlpe, sabb queorash sãu?* |
| Pero, ¿usted no estaba ayer en el bar de la esquina? | Mas, você/ o senhor / não estava ontem no bar da esquina?<br>*Mash, vosê/ u señór / não estava onteim no bár da eshquína?* |
| ¡Hoy hace un calor / frío terrible! | Hoje está um calor / frio terrível!<br>*OGie eshtá u(m) calór / friu tejível!* |

## Invitar a una cita y aceptar o rechazar invitaciones

### Frases útiles para expresarte

| | |
|---|---|
| ¿Vendría al cine esta tarde? | Quer ir ao cinema esta tarde?<br>*Quer ir au cinéma esta tarde?* |
| ¿Por qué no? | Por que não?<br>*Purqué nãu?* |
| No, no tengo ganas de ver esta película | Não, não tenho vontade de ver esse filme<br>*Nãu, nãu teñu vontadd dd vér ése filmm* |
| ¿Le apetece una pizza? | Apetece-lhe uma pizza?<br>*Aptés-lle úma pitssa?* |
| ¿Quiere beber / tomar algo? | Quer beber / tomar alguma coisa?<br>*Quer bber / tumár algúma coissa?* |
| No, gracias, no quiero nada | Não obrigado(a), não quero nada<br>*Nãu ubrigádu/a nãu quéru náda* |
| Sí, encantado(a) | Sim, com muito prazer<br>*Si(m) com múi(n)to prassêr* |
| ¿Te apetece un granizado? | Apetece-te um granizado?<br>*Aptés-te u(m) granissádu?* |

# 1 Relaciones sociales

| | |
|---|---|
| Sí, gracias. ¡Hace un calor! | Sim. Está um calor! (PT) / Faz um calor! (Br)<br>*Sim. eshtá u(m) calór! Fas u(m) calor!* |
| No, no me gusta | Não, não gosto<br>*Nãu, nãu góshtu* |

Comidas y bebidas

# Desplazamientos 2

La red viaria portuguesa ha experimentado importantes cambios en los últimos años, no obstante muchas carreteras secundarias necesitan mejoras.
En todo caso, conducir por Portugal debe ser un ejercicio de prudencia y paciencia. El alto índice de siniestralidad ha obligado a las autoridades a incrementar las medidas de control del tráfico.
Se puede viajar en tren a precios razonables si bien las comodidades y la rapidez pueden variar de unas líneas a otras.
El autobús es una opción rápida y flexible aunque algo más cara que el tren. !



! Utilizar los ferrys en Lisboa puede ser una alternativa atractiva para ir a la margen sur del Tajo, además de evitar los atascos en los puentes.

# 2 Desplazamientos

## 2.1 Llegada

**En la aduana.** Para los ciudadanos de la Unión Europea el paso de la frontera portuguesa se ha convertido en una mera formalidad. Incluso en algunos pasos fronterizos no se requiere mostrar ningún documento de identidad.

### Frases útiles para expresarte

| | |
|---|---|
| No tengo nada para declarar | Não tenho nada para declarar<br>*Nãu téñu náda prá declarár* |
| No tengo pasaporte. Sólo tengo el carné de identidad | Não tenho passaporte. Só tenho o bilhete de identidade<br>*Nãu téñu pasapórtt. Só téñú u billétt dd identidáde* |
| Mis hijos aparecen registrados en mi pasaporte | Os meus filhos estão registados no meu passaporte<br>*Ush meush fíllush eshtãu rregishtádush nu meu pasapórtt* |
| ¿Debo pagar algún tipo de impuesto por llevar tres botellas de licor? | Devo pagar algum tipo de imposto na alfândega por levar tres garrafas de licor?<br>*Dévo pagár algú(m) típu de impóshtu na alfándega pur levár trésh garráfash dd licór?* |
| Estoy aquí por cuestiones de trabajo | Estou aqui por motivos de trabalho<br>*Eshtou aquí pur mutívosh dd trabállu* |
| Estoy de vacaciones | Estou de férias<br>*Eshtou dd fériash* |
| Me quedaré aquí dos semanas | Ficarei aqui duas semanas<br>*Ficarei aquí duash semanas* |
| Son solo efectos personales | São apenas objectos pessoais<br>*Sãu apénahs objéctush pesoaish* |
| Aquí tiene mis maletas | Aqui tem as minhas malas<br>*Aquí tãim ash míñash malas* |
| ¿Puedo irme? | Posso ir embora?<br>*Pósu ir aimbóra?* |
| Por favor, ¿puede repetir? | Por favor, podia repetir?<br>*Pur favór pudía repetir?* |
| Se lo agradezco, es usted verdaderamente una persona muy amable | Agradeço imenso, você é realmente uma pessoa muito amável<br>*Agradésu iménsu, vosé é rrialméntt úma pesóa múi(n)tu amável* |

| | |
|---|---|
| ¿Dónde puedo coger el autobús/un taxi? | **Onde posso apanhar o autocarro / um taxi?**<br>*Onda pósu apañár u autucárru / u(m) táxi?* |
| ¿Puedo cerrar el bolso? | **Posso fechar o meu saco?**<br>*Póssu feshár u méu sácu?* |

## Lo que puedes oír

| | |
|---|---|
| O seu passaporte / os seus documentos se faz favor | Su pasaporte / sus documentos, por favor |
| Tem alguma coisa para declarar? | ¿Tiene algo para declarar? |
| Por favor, abra esta mala | Por favor, abra esta maleta |
| Qual é o motivo da sua viagem? | ¿Cuál es el motivo de su viaje? |
| Desculpe, tem o visto? | Perdone, ¿tiene el visado? |
| Por favor, dizia-me o seu apelido? | Por favor, ¿me dice su apellido? |
| O que há nesta mala? | ¿Qué hay en esta maleta? |
| Quanto tempo tenciona permanecer em Portugal? | ¿Cuánto tiempo piensa permanecer en Portugal? |
| E estas mochilas, de quem são? | ¿Y estas mochilas de quién son? |
| Tem carta de condução? | ¿Tiene carné de conducir? |
| Para onde vai? | ¿Adónde se dirige? |
| Por favor, deixe-me ver o seu cartão de embarque | Por favor, déjeme ver su tarjeta de embarque |
| Passe umas felizes férias! | ¡Qué tengas/-a buenas vacaciones! |

## Lo que puedes ver

| | |
|---|---|
| Artigos para declarar | Artículos para declarar |
| Artigos isentos de impostos | Artículos exentos de impuestos |
| Esperem, por favor | ¡Esperen / espere, por favor! |
| Controlo de passaportes / documentos | Control de pasaportes / documentos |
| Alfândega | Aduana |
| Polícia | Policía |
| Passagem fronteiriça | Paso fronterizo |

## Palabras que puedes necesitar

| | | |
|---|---|---|
| aduana | **alfândega** | *alfándega* |
| auto, coche, automóvil | **auto, carro, automóvel** | *aútu, cárru, autumóvel* |

# 2 Desplazamientos

| | | |
|---|---|---|
| autobús | autocarro | *autucárru* |
| avión | avião | *aviãu* |
| barco | barco | *bárcu* |
| bicicleta | bicicleta | *bisiclétt* |
| cajero automático | caixa automática | *caisha autumática* |
| carné de conducir | carta de condução | *cárta de condusãu* |
| carné de identidad | bilhete de identidade | *billétt dd identidádd* |
| frontera | fronteira | *fruntéira* |
| llegadas | chegadas | *shegádash* |
| pasaporte | passaporte | *pasapórtt* |
| salidas | saídas | *saídash* |
| traveller's check | cheques de viagem | *shéqus dd viajãim* |
| tren | comboio | *cumbóiu* |
| visado | visto | *víshtu* |

**En la oficina de información.** Si deseas obtener alguna información del lugar donde te encuentras, pregunta en uno de los diversos *Postos de Turismo* localizados en las grandes ciudades portuguesas así como en las zonas de mayor afluencia turística.

## Frases útiles para expresarte

| | |
|---|---|
| ¿Dónde está la oficina de información turística? | Onde é o posto de turismo?<br>*Ónde é u póshtu dd turíshmu?* |
| ¿Puede darme un mapa de la ciudad? | Podia dar-me uma planta da cidade?<br>*Pudía darmm úma plánta da sidádd?* |
| Perdone, ¿tiene un listado de hoteles? | Desculpe, tem uma lista de hotéis?<br>*Deshculpp tãim úma lishta dd otéish?* |
| Busco un hotel céntrico | Ando à procura de um hotel no centro da cidade<br>*Ándu a prucúra dd u(m) otél un séntru da sidádd* |
| ¿A qué hora sale el tren para Viana do Castelo? | A que horas sai o comboio para Viana do Castelo?<br>*A qui órash sai u combóiu prá Viána du Cashtélu?* |
| Por favor ¿me podría dar un horario del metro? | Por favor, podia dar-me um horário do metro?<br>*Pur favór pudía darmm u(m) oráriu du métru?* |

| | |
|---|---|
| ¿Me podría aconsejar un itinerario para el museo? | Podia aconselhar-me um percurso para o museu?<br>*Pudía aconsellármm u(m) percúrsu prá u muséu?* |
| ¿Se tarda mucho en llegar a los muelles? | Demora-se muito para ir caminhando até aos cais?<br>*Demórass muítu prá ir camiñándu até aush cáish?* |
| ¿Cuánto cuesta la entrada para esta exposición? | Quanto custa o bilhete para esta exposição?<br>*Cuántu cushta u billétt prá éshta espussisãu?* |
| ¿En el museo hacen descuentos a grupos? | No museu fazem descontos para grupos?<br>*Nu muséu fasseim deshcóntush prá grúpush?* |

## En la oficina de cambio

## Frases útiles para expresarte

| | |
|---|---|
| ¿Dónde está la oficina de cambio?<br>Necesito cambiar este dinero en euros | Onde fica o posto de câmbios?<br>Precisava trocar este dinheiro em euros<br>*Óndd fíca u póshtu dd cámbiush presissáva trúcar eshte diñeiru ãim éurush* |
| ¿Cuál es la ventanilla para cambiar dinero? | Qual é o balcão para trocar dinheiro?<br>*Cuál é u balcãu prá trucár diñeiru?* |
| ¿Aplican alguna comisión? | Aplicam alguma comissão?<br>*Aplícãu algúma cumisãu?* |
| Este cajero automático no funciona | Esta caixa automática não funciona<br>*Eshta caisha autumática nãu funsiona* |
| ¿Cómo debo rellenar el formulario para efectuar una transferencia? | Como devo preencher este formulário para realizar uma transferência?<br>*Cómu dévu prienshér eshte furmuláriu prá rrealissár úma transhferênsia?* |
| Quiero cambiar estos traveller's check | Queria trocar estes cheques de viagem<br>*Quería trucár eshtesh shéquesh dd viajãim* |
| ¿Qué horario tiene esta oficina? | Qual é o horário deste posto?<br>*Cuál é u oráriu deshte póshtu?* |

# 2 Desplazamientos

| | |
|---|---|
| Querría cambiar mil libras | **Queria trocar mil libras**<br>*Quería trúcar mil líbrash* |
| ¿Se puede sacar dinero con la tarjeta de crédito? | **Posso retirar dinheiro com o cartão de crédito?**<br>*Póssu rretirár diñeiru co(m) u cartãu dd créditu?* |
| ¿En esta oficina cambian marcos suizos? | **Neste posto trocam marcos suiços?**<br>*Neshte póshtu trócão márcush suísus?* |

## 2.2 Direcciones y orientación

**Preguntar por direcciones.** Los portugueses son muy hospitalarios con los turistas. No dudes en preguntar si tienes algún problema para encontrar un lugar o una dirección, serás atendido muy amablemente. **!**

### Frases útiles para expresarte

| | |
|---|---|
| Perdone, me he perdido. ¿Me puede ayudar? | **Desculpe, perdi-me. Podia ajudar-me?**<br>*Deshcúlpp perdímm. Pudía ajudármm?* |
| Perdone, ¿por dónde se va a la Catedral? | **Desculpe, por onde posso ir à Sé?**<br>*Deshcúlpp puróndd póssu ir a sé?* |
| ¿Dónde puedo coger un taxi? | **Onde posso apanhar um taxi?**<br>*Óndd póssu apañár u(m) tácsi?* |
| ¿Cómo puedo llegar a la estación de ferrocarril? | **Como posso chegar à estação dos comboios?**<br>*Cómu póssu shegár á eshtasãu dush cumbóius?* |
| ¿Sabe si para aquí el autobús nº 123? | **Sabe se pára aqui o autocarro nº 123?**<br>*Sábe se pára aquí u autocárru nº 123?* |
| ¿Para salir a la autopista debo continuar por esta carretera? | **Para sair à auto-estrada, devo continuar por esta estrada?**<br>*Prá saír á autushtráda dévu continuár pur éshta eshtráda?* |
| ¿Me puede indicar el mejor camino en el mapa? | **Podia indicar-me o caminho melhor no mapa?**<br>*Pudía indicármm u camíñu millór nu mápa?* |

Si muestras dificultad a la hora de expresarte en portugués, ten la seguridad de que harán lo posible para dirigirse a ti en español.

| | |
|---|---|
| ¿Está lejos / cerca? | Fica longe / perto?<br>*Fíca lónje / pértu?* |
| ¿Cuánto tiempo se tarda yendo en coche? | Quanto tempo se demora de carro?<br>*Cuántu témpu se demóra de cárru?* |
| ¿A qué distancia se encuentra la playa más cercana? | A que distância se encontra a praia mais próxima?<br>*A que dishtánsia si encóntra a práia maish prósima?* |
| ¿Me podría aconsejar un camping económico? | Podia aconselhar-me um parque de campismo económico?<br>*Pudía aconsellármm u(m) párqu dd campíshmu icunómicu?* |
| ¿Es aquel el museo arqueológico? | Aquele é o museu arqueológico?<br>*Aquéle é u muséu arquiulógicu?* |
| ¿Se puede llegar en tren? | Pode-se chegar de comboio?<br>*Pódess shegár dd cumbóiu?* |
| ¿Cuántos kilómetros faltan para llegar a Leiria? | Quantos quilómetros faltam para chegar a Leiria?<br>*Quantúsh quilómetrush fáltão prá shegár a leiría?* |
| ¿Este es el autobús turístico? | É este o autocarro turístico?<br>*É eshte u autucárru turíshticu?* |

## Lo que puedes oír

| | |
|---|---|
| Pergunte ao polícia | Pregúntele al guardia |
| Siga sempre em frente | Siga recto |
| Vire à esquerda / direita | Tuerza a la izquierda / derecha |
| Está muito longe. É melhor apanhar um taxi / o autocarro | Está muy lejos, le conviene coger un taxi / el autobús |
| Se quiser, eu posso acompanhá-lo, é aqui perto | Si quiere, le acompaño; es aquí al lado |
| Lamento mas não posso ajudá-lo | Lo siento, no puedo ayudarlo |
| Estacione aqui. A estas horas há muito trânsito | Aparque aquí, a esta hora hay mucho tráfico |
| De autocarro, demora dez minutos | Con el autobús, se tarda diez minutos |
| Não, este autocarro não passa pelo centro histórico | No, este autobús no pasa por el centro histórico |

# 2 Desplazamientos

## Palabras que puedes necesitar

| | | |
|---|---|---|
| a pie | a pé | *a pé* |
| auto, coche, automóvil | auto, carro, automóvel | *autu, carru, autumóvel* |
| autobús | autocarro | *autucárru* |
| avión | avião | *aviãu* |
| billete | bilhete | *billétt* |
| ciudad | cidade | *sidádd* |
| derecha | direita | *direita* |
| estación | estação | *eshtasãu* |
| guardia | guarda | *guárda* |
| izquierda | esquerda | *eshquérda* |
| llegadas | chegadas | *shegádash* |
| metro | metro | *métru* |
| multa | multa | *múlta* |
| país | país | *paísh* |
| parada | paragem | *parájãim* |
| recto | sempre em frente | *sempr ãim frénte* |
| salidas | saídas | *saídash* |
| taxi | taxi | *tácssi* |
| tour /vuelta | tour / percurso | *tur / percúrsu* |
| tráfico | trânsito | *tránsitu* |
| tren | comboio | *combóiu* |
| túnel | túnel | *túnel* |

## 2.3 Aeropuerto

### En el aeropuerto

## Frases útiles para expresarte

| | |
|---|---|
| Querría un asiento al lado de la ventanilla | Queria um lugar ao lado da janela<br>*Quería u[m] lugár au ládu da jánela* |
| ¿A qué hora sale el avión para Oporto? | A que horas sai o avião para o Porto?<br>*A qui órash sai u aviãu prá u pórtu?* |
| ¿Dónde están los vuelos internacionales / nacionales? | Onde estão os voos internacionais / nacionais?<br>*Ondd eshtãu ush vóosh internasiunísh / nasiunísh?* |
| ¿Puedo llevar este bolso como equipaje de mano? | Posso levar este saco como bagagem de mão?<br>*Póssu levar eshte sácu cómu bagájãim dd mãu?* |

| | |
|---|---|
| ¿Dónde se recogen las maletas? | Onde se recolhem as malas?<br>*Óndd se rrecóllãim ash málash?* |
| ¿Dónde está el check-in del vuelo de Iberia para Madrid? | Onde se faz o check-in do voo da Ibéria para Madrid?<br>*Óndd se fazh u shéquin du vóo da ibéria prá madríd?* |
| ¿Hay tarifas especiales? | Há tarifas especiais?<br>*A tarífash espesiáish?* |
| ¿Cuál es la duración del vuelo? | Qual é a duração do voo?<br>*Qual é a durasãu du vóo?* |
| ¿A qué hora tiene previsto el aterrizaje? | A que horas é prevista a aterragem?<br>*A qui órash é prevíshta a aterrajãim?* |
| ¿El avión sale a la hora prevista? | O avião sai à hora prevista?<br>*U avião sai a óra prévishta?* |
| Tome mi pasaporte | Aqui tem o meu passaporte<br>*Aquí tãim u meu pasapórtt* |
| ¿Qué retraso tiene el vuelo proveniente de Madrid? | Qual é o atraso do voo proveniente de Madrid?<br>*Cuál é u atrássu du vóo pruveniéntt dd mádrid?* |
| ¿A qué altitud estamos volando? | Qual é a altitude neste momento?<br>*Cuál é a altitúdd neshte muméntu?* |
| Perdone, mi maleta no ha llegado, ¿a quién me debo dirigir? | Desculpe, a minha mala não chegou, quem me podia informar?<br>*Deshcúlpp a míña mala nãu shegou, cãim mm podía infurmár?* |
| Han perdido mi mochila | Perderam a minha mochila<br>*Perdérãu a míña mushíla* |

## Lo que puedes oír

| | |
|---|---|
| A sua bagagem não pode superar os 20 quilos | Su equipaje no debe superar los 20 kilos |
| Tem mais bagagem? | ¿Tiene más equipaje? |
| Lamento, mas deve pagar vinte euros por excesso de bagagem | Lo siento, debe pagar veinte euros por exceso de equipaje |
| No avião é proibido fumar, inclusive na casa de banho | En el avión está prohibido fumar incluso en el baño |
| Sra. Silva apresente-se imediatamente na saída n.º 9 | Se ruega a la señora Silva que se presente inmediatamente en la salida n.º 9 |

# 2 Desplazamientos

| | |
|---|---|
| O seu avião sai com atraso | Su avión sale con retraso |
| Os passageiros do voo Air Europa, devem apresentar-se na saída n.º 3 | Los pasajeros del vuelo de AirEuropa preséntense en la salida número tres |
| Por favor, entreguem-me o seu cartão de embarque | Por favor, denme su tarjeta de embarque |
| O voo foi cancelado por causa do nevoeiro / da greve | El vuelo ha sido cancelado a causa de la niebla / huelga |
| Por favor, apertem os cintos de segurança | Por favor, abróchese el cinturón de seguridad |
| Deseja chá ou café? | ¿Quiere té o café? |
| Durante as manobras de descolagem e aterragem é proibido o uso de dispositivos eléctricos | Durante las maniobras de despegue y aterrizaje está prohibido el uso de dispositivos eléctricos |
| Infelizmente, o serviço de catering não é grátis | Por desgracia, el servicio de catering no es gratuito |

## Lo que puedes ver

| | |
|---|---|
| Chegadas | Llegadas |
| Hangar | Hangar |
| Saídas | Salidas |
| Sala de espera | Sala de espera |
| Saída | Salida |

## Palabras que puedes necesitar

| | | |
|---|---|---|
| aeropuerto | aeroporto | *aerupórtu* |
| aterrizaje | aterragem | *aterrájãim* |
| avión | avião | *aviãu* |
| azafata | hospedeira | *oshpedéirai* |
| despegue | descolagem | *deshculájãim* |
| embarque | embarque | *ãimbárque* |
| piloto | piloto | *pilótu* |
| salida | saída | *saída* |
| vuelo | voo | *vóo* |

## 2.4 Estación

**En la estación y al subir al tren.** Los billetes de tren tienen muchos tipos de descuentos, por tanto conviene revisar con antelación los aplicables a nuestro caso según edad, clase en la que se viaja, grupos, etc.

## Frases útiles para expresarte

| | |
|---|---|
| Querría un billete de primera / segunda clase | Queria um bilhete de primeira classe / segunda classe<br>*Quería u(m) billétt dd priméira cláse / segúnda cláse* |
| Por favor, ¿un billete para Setúbal? | Por favor, um bilhete para Setúbal?<br>*Pur favór u(m) billétt prá Setúbal?* |
| En este tren, ¿tengo que pagar un suplemento? | Neste comboio tenho de pagar suplemento?<br>*Néshte cumbóiu téñu dd pagár supleméntu?* |
| ¿A qué hora llega a Leiria? | A que horas chega a Leiria?<br>*A que órash shéga a leiría?* |
| ¿En cuántas estaciones para este tren? | Em quantas estações pára este comboio?<br>*Ãim cuántash eshtasóesh pára eshte cumbóiu?* |
| ¿Dónde tengo que hacer el cambio? | Onde tenho de fazer o transbordo?<br>*Óndd téñu de fassér u transhbórdu?* |
| ¿De qué vía sale? | De que via sai?<br>*De qué vía sái?* |
| ¿Para cuántos días vale el billete? | Para quantos dias serve o bilhete?<br>*Prá cuántush díash sérve u billétt?* |
| Querría reservar una plaza en el tren de las 10.00 | Queria reservar um lugar no comboio das 10.00 horas<br>*Quería rresservár u(m) lugár nu cumbóiu dash 10 órash* |
| ¿Cuánto cuesta el billete para el coche cama? | Quanto custa o bilhete na carruagem-cama?<br>*Cuántu cúshta u billétt na carruajãim cáma* |
| Perdone, ¿este es el tren para Faro? | Desculpe, é este o comboio para Faro?<br>*Deshcúlpp é eshte u cumbóiu prá fáru?* |
| Perdone, ¿dónde está la consigna? | Desculpe, onde é a consigna?<br>*Deshcúlpp ónndd é a consígna?* |
| ¿Dónde están los vagones de primera clase? | Onde estão as carruagens de primeira classe?<br>*Óndd eshtão ash carruájãins dd priméira clásse ?* |

Si viajas en el día, es habitual encontrar colas para sacar los billetes.

# 2 Desplazamientos

| | |
|---|---|
| Perdone, ¿este asiento está libre? | **Desculpe, está livre este assento?**<br>*Deshcúlpp eshtá lívre eshte aséntu?* |
| Perdone, este asiento es el mío | **Desculpe mas este assento é o meu**<br>*Deshcúlpp mash éshte aséntu é u meu* |
| ¿Le molesta si abro la ventanilla? | **Importava-se se abro a janela?**<br>*Impurtávass se ábru a janéla?* |
| ¿Dónde puedo dejar mi equipaje? | **Onde posso deixar a minha bagagem?**<br>*Óndd póssu deishár a míña bagajãim?* |
| ¿Dónde está el vagón restaurante? | **Onde é a carruagem restaurante?**<br>*Óndd é a carruajãim rreshtauránt?* |

## Lo que puedes oír

| | |
|---|---|
| **Por favor, passe** | Por favor, pase |
| **Lamento imenso, mas este assento está ocupado** | Lo siento, este asiento está ocupado |
| **A janela está bloqueada** | Oiga, que la ventanilla está bloqueada |
| **Quer que o ajude a colocar a mala / a mochila?** | ¿Quiere que le ayude a colocar la maleta / la mochila? |
| **Desculpe mas somente pode fumar nas carruagens para fumadores** | Oiga, que sólo se puede fumar en los vagones para fumadores |
| **Onde quer ir?** | ¿Dónde quiere ir? |
| **Lamento, mas os assentos estão todos reservados** | Lo siento, los asientos están todos reservados |
| **O restaurante está na primeira carruagem** | El vagón restaurante está en la cabecera del tren |
| **O comboio Lusitánia Express para Santa Apolónia circula com mais de uma hora de atraso** | El tren Intercity para Santa Apolonia circula con más de una hora de retraso |
| **O comboio das dez horas proveniente de Lisboa está a chegar pela linha número sete** | El tren Intercity de las diez proveniente de Lisboa está llegando a la vía número siete |
| **O comboio para Guimarães das oito horas, efectuará a saída da via dois** | El tren para Guimarães de las ocho horas saldrá de la vía dos |
| **O comboio Expresso n.º 3 para Leiria sai da via número seis. Tem paragem em Peniche e Torres Vedras** | El tren Expresso número tres para Leiria sale de la vía número seis. Tiene paradas en Peniche y Torres Vedras |
| **Lembre que debe validar o seu bilhete nas obliteradoras correspondentes** | Acuérdese de validar el billete en las máquinas validadoras correspondientes |

## Lo que puedes ver

| | |
|---|---|
| Para as vias | Hacia las vías |
| Bilhete de ida e volta | Billete de ida y vuelta |
| Carruagem de fumadores / não fumadores | Vagón de fumadores / vagón de no fumadores |
| Carruagem restaurante | Vagón restaurante |
| Máquinas obliteradoras | Máquinas validadoras |
| Horário | Horario |
| Serviço de bar | Servicio de bar |
| Painel informativo de chegadas / saídas | Tablón informativo de llegadas / salidas |
| Telefone público | Teléfono público |
| Casa de banho | Baño / WC |
| Carruagem cama | Coche cama |
| É proibido fumar | Prohibido fumar |

## Palabras que puedes necesitar

| | | |
|---|---|---|
| coche cama | carruagem cama | *carruajãim cáma* |
| estación | estação | *eshtasãu* |
| jefe de estación | chefe de estação | *shéfe dd eshtasãu* |
| llegadas | chegadas | *shegádash* |
| plaza /asiento | lugar / assento | *lugár / aséntu* |
| primera / segunda clase | primeira / segunda classe | *priméira / segúnda cláse* |
| puerta | porta | *pórta* |
| rápido | rápido | *rrápidu* |
| reserva | reserva | *rresérva* |
| revisor | revisor | *rrevissór* |
| salidas | saídas | *saídash* |
| taquilla | cacifo | *casífu* |
| tren | comboio | *cumbóiu* |
| vagón | carruagem | *carruájãim* |
| ventanilla | janela | *janéla* |
| vía | via | *vía* |

## 2.5 Barco

**A bordo del barco.** Si viajas a Madeira o a Azores, aparte de encontrar vuelos que comunican todas las islas, debes saber que en verano existe un buen servicio diario de transbordadores. En ambos casos, hallarás también compañías que organizan recorridos en barco por sus costas.

# 2 Desplazamientos

## Frases útiles para expresarte

| | |
|---|---|
| Por favor, ¿dónde está el puerto? | Por favor, dizia-me onde é o porto?<br>*Pur favór dissiamm óndd é u pórtu?* |
| ¿Dónde se venden los billetes? | Onde se vendem os bilhetes?<br>*Óndd se véndãim ush billétts?* |
| ¿A qué hora salen los barcos para Cacilhas? | A que horas saem os barcos para Cacilhas?<br>*A que órash saim ush bárcush prá Casíllash?* |
| ¿Puedo embarcar el coche? | Posso embarcar o carro?<br>*Póssu ãimbarcár u cárru?* |
| ¿Sabe si los menores de seis años pagan billete? | Sabe se os menores de seis anos pagam bilhete?<br>*Sábe se ush menóresh dd seish ánush págão billétt?* |
| Quiero reservar un camarote con dos camas | Quero reservar um camarote com duas camas<br>*Quéru rreservár u(m) camarótt com duash cámash* |
| ¿Hay restaurante en el barco? | Há restaurante no barco?<br>*Á rreshtaurántt nu bárcu?* |
| ¿De dónde salen los barcos para Barreiro? | Donde saem os barcos para o Barreiro?<br>*Dóndd sáim ush bárcush prá u Barreiru?* |
| Prefiero un asiento al lado de la ventanilla | Prefiro um assento ao lado da janela<br>*Prefíru u(m) aséntu au ládu da janéla* |
| ¿Cuánto tiempo dura la travesía? | Quanto tempo demora a travessia?<br>*Cuántu témpu demóra a travesía?* |
| ¿Me puede decir el precio del billete más barato? | Podia dizer-me o preço do bilhete mais barato?<br>*Pudia dissérmm u présu du billétt maish barátu?* |
| ¿Debo pagar suplemento por embarcar la bicicleta? | Tenho de pagar suplemento por embarcar a bicicleta?<br>*Teñu dd pagár supleméntu pur ãimbarcár a bisiclétt?* |
| Estoy mareado, ¿hay servicio médico en el barco? | Estou enjoado, há serviço médico no barco?<br>*Eshtou ãinjuádu á servísu médicu no bárcu?* |
| No puedo abrir la escotilla de mi camarote | Não posso abrir a escotilha do meu camarote<br>*Nãu pósu abrír a eshcutílla du meu camarótt* |

## Lo que puedes oír

| | |
|---|---|
| O barco para o Barreiro sai do cais n.º 3 | El barco para Barreiro sale del muelle n.º 3 |
| Deve esperar na fila caso deseje embarcar o seu carro | Debe esperar en la cola si desea embarcar su coche |
| As condições marítimas de hoje são óptimas | Las condiciones marítimas de hoy son buenas |
| Há temporal. O barco vai sair com atraso | Hay temporal. El barco saldrá con retraso |
| A travesia foi suspendida devido ao mau tempo | Se ha suspendido la travesía debido al mal tiempo |
| Devem utilizar esta saída para desembarcar | Deben utilizar esta salida para desembarcar |

## Lo que puedes ver

| | |
|---|---|
| Abandonar o barco | Abandonar el barco |
| Sala / bar | Salón / bar |
| Capitania do porto | Capitanía de puerto |
| É proibido ligar o motor do carro durante a navegação | Está prohibido encender el motor del coche durante la navegación |
| É proibido fumar | Está prohibido fumar |
| Médico | Médico de a bordo |
| Amarradores | Amarradores |
| Ponte de comando | Puente de mando |
| Pilotos de barra | Prácticos |
| Ponto de encontro | Punto de reunión |
| Lanchas de salvamento | Lanchas de salvamento |
| Homem ao mar | Hombre al agua |
| É proibido jogar objectos ao mar | Prohibido lanzar objetos al mar |

## Palabras que puedes necesitar

| | | |
|---|---|---|
| bote | bote | *bótt* |
| barco | barco / navio | *bárcu / navíu* |
| babor | bombordo | *bombórdu* |
| estribor | estibordo | *eshtibórdu* |
| camarote | camarote | *camaróțt* |
| capitán | capitão | *capitãu* |
| contramaestre | contramestre | *contraméshtre* |

| | | |
|---|---|---|
| cubierta | coberta | *cubérta* |
| enfermería | enfermaria | *ãimfermaría* |
| escala | escada | *eshcáda* |
| escotilla | escotilha | *eshcutílla* |
| isla | ilha | *ílla* |
| marinero | marinheiro | *mariñéiru* |
| mozo | moço | *mósu* |
| muelle | cais | *caish* |
| pasarela | passarela | *pasaréla* |
| popa | popa | *pópa* |
| proa | proa | *próa* |
| puente | ponte | *pónte* |
| puerto | porto | *pórtu* |
| remolcador | rebocador | *rrebucadór* |
| salvavidas | bóia | *bóia* |
| sirena | sirena | *siréna* |
| tripulación | tripulação | *tripulasãu* |
| ventanilla | janela | *janéla* |

## 2.6 Transporte público

**Los transportes públicos en Portugal.** En ciudades como Lisboa, forma parte de la visita utilizar el tranvía (Línea 28) para ir a Alfama y los elevadores da Glória y da Bica, así como el elevador de Santa Justa.

Tanto para el metro como para el autobús urbano, existen bonos de 10 viajes. Además, los taxis son baratos.

En los puntos de venta de Carris, se pueden comprar los billetes de autobús, tranvía y elevadores. ▮

**En el autobús**

### Frases útiles para expresarte

| | |
|---|---|
| Por favor, ¿dónde puedo comprar los billetes para el autobús? | Por favor, onde posso comprar os bilhetes para o autocarro?<br>*Pur favór óndd póssu comprár ush billétts?* |

La Lisboa Card es una tarjeta válida para uno, dos o tres días que permite la utilización ilimitada del transporte público y la entrada gratuita en museos y monumentos.

| Español | Português | Pronunciación |
|---|---|---|
| Los billetes, ¿se compran en taquilla o puedo comprarlos en el mismo autobús? | **Os bilhetes, compram-se na bilheteira ou posso comprá-los no autocarro?** | *Ush billétts comprámss na billetéira u pósu comprálush un autucárru?* |
| ¿Es muy largo el trayecto? | **O percurso é muito longo?** | *U percúrsu é múi(n)tu lóngu?* |
| ¿Hay algún autobús turístico en la ciudad? | **Há algum autocarro turístico na cidade?** | *Á algúm autucárru turíshticu na sidádd?* |
| ¿Cuándo pasa el autobús que va hacia la Praça do Comércio? | **Quando passa o autocarro que vai para a Praça do Comércio?** | *Cuándu pása u autucárru que vai prá Prása du Comérsiu?* |
| ¿Me recomienda ir en autobús o en metro? | **Aconselha-me ir de autocarro ou de metro?** | *Acunsellamm ir de autucárru u dd métru?* |
| ¿Me puede indicar dónde puedo coger el autobús que va a la playa? | **Podia indicar-me onde posso apanhar o autocarro que vai à praia?** | *Pudía indicármm óndd póssu apañár u autucárru que vai a práia?* |
| Perdone, ¿está ocupado este asiento? | **Desculpe, este assento está ocupado?** | *Deshcúlpp eshte aséntu eshtá ucupádu?* |
| Para ir a la Praça do Rossio, ¿dónde debo bajar? | **Onde tenho de descer para ir à Praça do Rossio?** | *Óndd téñu dd deshér prá ir a Prása du Rusíu?* |
| Perdone, ¿baja en la siguiente parada? | **Desculpe, desce na paragem seguinte?** | *Deshcúlpp déshe na parajãim seguíntt?* |
| ¿Cuánto cuesta el billete de ida y vuelta? | **Quanto custa o bilhete de ida e volta?** | *Cuántu cúshta u billétt dd ída i vólta?* |
| ¿Tendría algún descuento por ser discapacitado? | **Tenho algum desconto por ser deficiente?** | *Téñu algúm deshcóntu pur ser defisientt?* |
| ¿Cómo podría llegar a la estación de autobuses? | **Como podia chegar à estação de camionagem?** | *Cómu podía shegár a eshtasãu dd camiunájãim?* |
| ¿Qué frecuencia de paso tiene este autobús? | **Qual é a frequência de passagem deste autocarro?** | *Cuál é a frecuénsia dd pasajãim deshte autucárru?* |

2

# Desplazamientos

## Lo que puedes oír

| | |
|---|---|
| Podia mostrar-me o seu bilhete, por favor | Me enseña su billete, por favor |
| Deve obliterar o seu bilhete | Debe validar su billete |
| Os bilhetes não se compram no autocarro | Los billetes no se compran en el autobús |
| Este assento é reservado para pessoas idosas, grávidas e doentes | Este asiento está reservado para personas mayores, embarazadas y enfermos |
| Prima aqui para solicitar a paragem | Pulse aquí para solicitar la parada |
| Desça na próxima paragem | Baje en la próxima parada |

**En el metro.** Existe metro en las ciudades de Oporto y Lisboa, si bien en Oporto está en construcción con algunas líneas en servicio. El metro en Lisboa funciona entre las 6.00 y la 1.00 h. Se pueden adquirir bonos de 10 viajes y billetes para uno o siete días.

## Frases útiles para expresarte

| | |
|---|---|
| ¿Dónde está la estación de metro más cercana? | Onde fica a estação de metro mais próxima? *Óndd fíca a eshtasãu dd métru maish prósima?* |
| Perdone, ¿dónde puedo comprar los billetes? | Desculpe, onde posso comprar osbilhetes? *Deshcúlpp óndd pósu comprár ush billétts?* |
| ¿Me podría dar un plano del metro? | Podia dar-me uma planta do metro? *Podía darmm úma plánta du métru?* |
| ¿Cuál es la línea que va a la Praça do Rossio? | Qual é a linha que vai à Praça do Rossio? *Cuál é a líña que vai a Prása du Rusíu?* |
| ¿Es mejor ir en metro o en autobús? | É melhor ir de metro ou de autocarro? *É mellór ir dd métru u dd autucárru?* |
| Este billete, ¿también vale para el autobús? | Este bilhete serve também para o autocarro? *Eshte billétt sérv tambãim prá u autucárru?* |
| ¿Qué línea debo coger para ir hacia el hotel Marriot? | Que linha devo apanhar para ir ao hotel Marriot? *Que líña dévu apañár prá ir au utél Marriot?* |

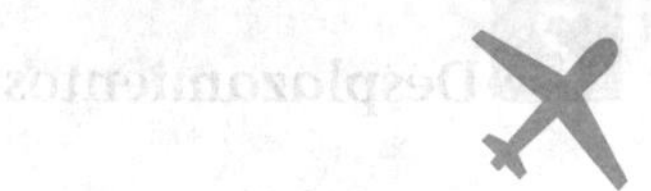

| | |
|---|---|
| ¿Dónde debo hacer el transbordo? | Onde tenho de fazer o transbordo?<br>*Óndd téñu dd fassér u transbordu?* |
| ¿Cuántas paradas hay hasta la Praça do Rossio? | Quantas paragens há até à Praça do Rossio?<br>*Cuántash parájãins á até a Prása du Rusíu?* |
| ¿Qué frecuencia de paso tiene esta línea? | Qual é a frequência de passagem desta linha?<br>*Cuál é a frecuénsia dd pasájãim deshta líña?* |
| Por favor, ¿me podría avisar cuándo lleguemos? | Por favor, podia avisar-me quando chegarmos?<br>*Pur favór pudía avissármm cuándu shegármus?* |

## Palabras que puedes necesitar

| | | |
|---|---|---|
| ascensor | elevador | *ilevadór* |
| billete | bilhete | *billétt* |
| escalera mecánica | escada rolante | *eshcáda rrolántt* |
| estación | estação | *eshtasãu* |
| final de línea | fim de linha | *fim dd líña* |
| ida | ida | *ída* |
| línea | linha | *líña* |
| metro | metro | *métru* |
| parada | paragem | *parajãim* |
| viaje | viagem | *viájãim* |
| vuelta | volta | *vólta* |

## 2.7 Taxi

**En el taxi.** En las grandes ciudades, no tendrás problemas para encontrar un taxi. **!** Es un medio de transporte asequible para los desplazamientos urbanos. Suelen cobrar un recargo del 20 % como suplemento por equipaje.

Podrás identificarlos por su color crema o, en algunas ciudades, por su color verde y negro.

# 2 Desplazamientos

## Frases útiles para expresarte

| | |
|---|---|
| Por favor, ¿dónde está la parada de taxis más cercana? | **Desculpe, onde é a paragem de taxis mais próxima?**<br>*Deshcúlpp óndd é a parajãim de tácssis maish prósima?* |
| ¿Me podría indicar cuál es el número de teléfono de Autocoope? | **Podia indicar-me qual é o número de telefone da Autocoope?**<br>*Pudía indicarmm cuál é u númeru dd telfóne dda Autucop?* |
| ¿Podría llamarme un taxi? | **Podia chamar um taxi?**<br>*Pudía shamár u(m) tácsi?* |
| ¿Está libre? | **Está livre?**<br>*Ɛshtá lívre?* |
| ¿Cuánto me costaría el viaje hasta Setúbal? | **Quanto custaria a viagem até Setúbal?**<br>*Cuántu cushtaría a viajãim até Setúbal?* |
| Por aquí hay mucho tráfico, ¿podríamos ir por otro lado? | **Por aqui há muito trânsito, podiamos ir por outro lado?**<br>*Pur aquí á múi(n)tu tránsitu pudíamush ir pur outro ládu?* |
| Buenos días. Por favor, a la estación de autobuses | **Bom día. Por favor, a estação de camionagem?**<br>*Bom día pur favór a eshtasãu de camiunajãim?* |
| ¿Queda lejos de aquí? | **Fica muito longe daqui?**<br>*Fica múi(n)tu lónje daquí?* |
| Está conduciendo muy rápido. ¿Podría ir más despacio? | **Está a conduzir muito rápido. Podia ir mais devagar?**<br>*Ɛshtá a condussír múi(n)tu rrápidu pudía ir maish devagár?* |
| Pare aquí | **Pare aqui**<br>*Páre aquí* |
| ¿Cuánto es? | **Quanto é?**<br>*Cuántu é?* |

## Lo que puedes oír

| | |
|---|---|
| **Lamento imenso, mas estou fora de serviço** | Lo siento, estoy fuera de servicio |
| **Onde vamos?** | ¿Dónde vamos? |

| | |
|---|---|
| É melhor ir de metro. Nestas horas há muito trânsito | Le recomiendo que vaya en metro. A esta hora hay mucho tráfico |
| Para ir ao aeroporto deve pagar um suplemento pela bagagem | Para ir al aeropuerto debe pagar un suplemento por equipaje |
| Tem muita pressa? | ¿Tiene mucha prisa? |
| Deseja que espere? | ¿Desea que espere? |
| Já chegamos | Ya hemos llegado |

## Lo que puedes ver

| | |
|---|---|
| Livre | Libre |
| Ocupado | Ocupado |
| É proibido fumar | Prohibido fumar |
| Aceita-se cartões de crédito | Se admiten tarjetas de crédito |

## Palabras que puedes necesitar

| | | |
|---|---|---|
| barato | barato | *barátu* |
| caro | caro | *cáru* |
| derecha | direita | *direita* |
| izquierda | esquerda | *eshquérda* |
| tráfico | trânsito | *tránsitu* |
| recto | sempre em frente | *sempre ãim frénte* |

# 2.8 Alquiler de choches

**A la hora de alquilar un coche.** Se pueden alquilar coches a precios razonables, especialmente en las compañías locales. Estas y las internacionales como Hertz y Avis tienen oficinas en los principales aeropuertos y en las ciudades y centros turísticos.

## Frases útiles para expresarte

| | |
|---|---|
| Me gustaría alquilar un coche no demasiado caro | Gostaria de alugar um carro não demasiado caro<br>*Goshtaría dd alugár u(m) cárru nãu demassiádu cáru* |

# 2 Desplazamientos

| | |
|---|---|
| ¿Cuál es el precio por día? | **Qual é o preço por dia?**<br>*Cuál é u préçu pur dia?* |
| ¿Tienen una tarifa más barata? | **Têm uma tarifa mais barata?**<br>*Teiem úma tarífa maish baráta?* |
| ¿El precio incluye la póliza a todo riesgo? | **O preço inclui a apólice contra todos os riscos?**<br>*U présu inclui a apólise cóntra tódush ush ríshcus?* |
| ¿Este seguro cubre también los robos? | **Este seguro cubre também os roubos?**<br>*Eshte séguru cúbre tambãim uhs roubush?* |
| ¿Debo dejar un depósito? | **Devo deixar algum depósito?**<br>*Dévu deishár algúm depóssitu?* |
| Querría un coche con aire acondicionado | **Queria um carro com ar condicionado**<br>*Quería u(m) carru com ár cundisiunádu* |
| ¿Qué tipo de combustible debo usar? | **Qual o tipo de combustível que devo usar?**<br>*Cuál u tipu de cumbushtível que dévu ussar?* |
| ¿Dónde tengo que coger / devolver el coche? | **Onde tenho de apanhar / devolver o carro?**<br>*Óndd teñu dd apañár devulver u carru?* |
| Este es mi carnet de conducir | **Esta é a minha carta de condução**<br>*Eshta é a míña carta de cundusãu* |
| Mi coche está averiado | **O meu carro está avariado**<br>*U meu cárru eshtá avariadu* |
| ¿Dónde está el centro de asistencia más cercano? | **Onde é o serviço de assistência mais próximo?**<br>*Óndd é u servisu de asisténsia maish prósimu?* |
| ¿Me puede remolcar el coche hasta el aparcamiento más cercano? | **Podiam rebocar o carro até à oficina mais próxima?**<br>*Pudíam rrebucár u cárru até a ufisína maish prósima?* |
| Tengo una rueda pinchada | **O pneu furou-se**<br>*U pneu furouss* |
| ¿Cuánto tiempo tardará en arreglar la avería? | **Quanto tempo vai demorar em arranjar a avaria?**<br>*Cuántu témpu vai demurár ãim arranjár a avaría?* |
| Me he quedado sin gasolina | **Fiquei sem gasolina**<br>*Fiquei sãim gassulína* |

**Partes del coche**

## Palabras que puedes necesitar

| acelerador | acelerador | *aseleradór* |
|---|---|---|
| airbag | airbag | *erbag* |
| aire acondicionado | ar condicionado | *ar cundisiunadu* |
| asiento | assento | *aséntu* |
| bocina / claxon | buzina | *bussína* |
| bujía | vela | *véla* |
| cambio | mudanças | *mudansash* |
| capó | capó | *capó* |
| cuentakilómetros | conta-quilómetros | *contaquilómetrush* |
| depósito | depósito | *depóssitu* |
| émbolo | êmbolo | *émbolu* |
| embrague | embraiagem | *ãimbraiajãim* |
| espejo retrovisor | espelho retrovisor | *espéllo rretrovisór* |
| filtro del aceite / del aire | filtro do óleo / do ar | *filtru du óliu du ar* |
| limpiaparabrisas | limpa-pára-brisas | *limpaparabríssas* |
| llaves | chaves | *shavesh* |
| matrícula | matrícula | *matrícula* |
| motor | motor | *mutór* |
| neumático/s | pneu | *pneu* |
| radiador | radiador | *rradiadór* |
| radio del coche | rádio do carro | *rrádiu du cárru* |
| rueda de repuesto | roda sobresselente | *rróda sobreselént* |
| taquímetro | velocímetro | *velusímetru* |
| tubo de escape | tubo de escape | *túbu dd eshcápe* |
| ventilador | ventilador | *ventiladór* |
| volante | volante | *vulánte* |

# 2.9 Aparcamiento

**Para aparcar.** En las grandes ciudades puede convertirse en un problema. Hay aparcamientos de pago. Se recomienda no dejar objetos de valor dentro de los coches en determinadas zonas de Lisboa y Oporto.

## Frases útiles para expresarte

| Perdone, ¿dónde está el aparcamiento más cercano? | Desculpe, onde fica o parque de estacionamento mais próximo?<br>*Deshcúlpp óndd fica u parque dd eshtasiunaméntu maish prósimu?* |
|---|---|

| | |
|---|---|
| ¿Cuánto cuesta por hora? | **Quanto custa por hora?**<br>*Cuántu cúshta pur óra?* |
| ¿Puedo aparcar aquí? | **Posso estacionar aquí?**<br>*Póssu eshtasionár aquí?* |
| ¿Debo dejar el coche abierto? | **Tenho de deixar o carro aberto?**<br>*Téñu dd deishar u cárru abertu?* |
| ¿Esta plaza está reservada? | **Este lugar está reservado?**<br>*Eshte lugár eshtá rresservádu?* |
| Perdone, pero ¿el aparcamiento está vigilado también de noche? | **Desculpe mas, o parque de estacionamento tem vigilância à noite?**<br>*Deshcúlpp mash u párqu dd eshtasiunaméntu tãim vigilánsia a noite?* |
| Querría un sitio a la sombra | **Queria um lugar à sombra**<br>*Quería u(m) lugár a sómbra* |
| He dejado el coche en doble fila | **Deixei o carro em dupla fila**<br>*Deishéi u cárru ãim dúpla fila* |

## 2.10 En carretera

### Conducir por Portugal

### Frases útiles para expresarte

| | |
|---|---|
| Perdone, ¿voy bien para el centro de la ciudad? | **Desculpe, este caminho é bom para ir ao centro da cidade?**<br>*Deshcúlpp eshte camiño é bom prá ir au sentru da sidádd?* |
| ¿Dónde se coje la autopista? | **Onde posso apanhar a auto-estrada?**<br>*Óndd póssu apañár a autushtráda?* |
| ¿Cuál es el camino más corto para llegar a la Catedral? | **Qual é o caminho mais curto para chegar à Sé?**<br>*Cuál é u camiñu maish curtu prá shegár a Sé?* |
| ¿Es esta la carretera para Faro? | **Esta é a estrada para Faro?**<br>*Eshta é a eshtráda prá Fáru?* |
| ¿Me puede indicar el recorrido en el mapa? | **Podia indicar-me o percurso no mapa?**<br>*Pudía indicármm u percúrsu nu mápa?* |

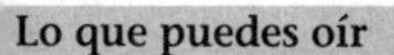

## Lo que puedes oír

| | |
|---|---|
| Apanhe a primeira à direita e depois siga sempre em frente até ao centro | Coja la primera a la derecha y, después, siga recto hasta el centro |
| É uma estrada de sentido único | Es una carretera de sentido único |
| Há neve na estrada, somente pode circular com correntes | Hay nieve en la carretera, sólo se puede circular con cadenas |
| Pergunte ao polícia | Pregúntele al guardia |

**En la gasolinera**

## Frases útiles para expresarte

| | |
|---|---|
| Llénemelo, por favor | Cheio, se faz favor<br>*Shéio ss fash favór* |
| Me he quedado sin gasolina | Fiquei sem gasolina<br>*Fiquéu sãim gassulína* |
| ¿A cuántos kilómetros se encuentra la próxima área de servicio? | A quantos quilómetros fica a próxima área de serviço?<br>*A cuántush quilómetrush fica a prósima ária dd servísu?* |
| Querría gasolina sin plomo | Queria gasolina sem chumbo<br>*Quería gasulina sãim shúmbu* |
| Querría solo 10 euros de gasolina | Queria apenas 10 euros de gasolina<br>*Quería apenash 10 eurush dd gassulína* |
| ¿Podría revisar el aceite / el agua? | Podia verificar o óleo / a água?<br>*Podía verificár u óliu / a água?* |
| Por favor, ¿ me puede controlar la presión de las ruedas? | Por favor, podia controlar a pressão dos pneus?<br>*Pur favór pudía controlar a pressãu dush pneush?* |
| Por favor, límpieme el parabrisas | Por favor, limpe o pára-brisas<br>*Pur favór, limpe u parabrissash* |
| ¿Cuánto es? | Quanto é?<br>*Cuántu é?* |

## Lo que puedes oír

| | |
|---|---|
| Por favor, coloque o carro mais à frente | Por favor, ponga el coche un poco más adelante |

# Desplazamientos

| | |
|---|---|
| Aquí está bem | Sí, aquí está bien |
| Cheio? | ¿Lleno? |
| Quanto? | ¿Cuánto? |
| Super ou sem chumbo? | ¿Súper o sin plomo? |
| Quer que troque o óleo? | ¿Quiere que le cambie el aceite? |
| Quer que limpe o pára-brisas? | ¿Quiere que le limpie el parabrisas? |
| São 10 euros | Son 10 euros |
| Tem de pagar na caixa | Debe pagar en caja |

## Palabras que puedes necesitar

| | | |
|---|---|---|
| aceite | óleo | *óliu* |
| batería | bateria | *batería* |
| depósito | depósito | *depóssitu* |
| diésel | gasóleo | *gassóliu* |
| gasolina | gasolina | *gassolina* |
| gasolinera | bomba de gasolina | *bómba dd gassulína* |
| gato | macaco | *macácu* |
| limpiaparabrisas | limpa-pára-brisas | *limpaparabrissas* |
| litro/s | litro/s | *lítru/sh* |
| llave inglesa | chave de fendas | *shave dd féndash* |
| lleno | cheio | *sheiu* |
| parabrisas | pára-brisas | *parabrissash* |
| presión | pressão | *presãu* |
| ruedas / pneumáticos | rodas/ pneus | *rrodash / pneush* |
| sin plomo | sem chumbo | *sãim shúmbu* |
| tuerca | porca | *pórca* |

**En el peaje.** Además de las autopistas algunos puentes como el 25 de Abril o el Vasco da Gama, también cobran peaje. Evita el carril verde, solamente es para abonados.

## Frases útiles para expresarte

| | |
|---|---|
| ¿En esta carretera se paga peaje? | Nesta estrada tenho de pagar portagem?<br>*Néshta eshtráda téñu de pagár purtájãim?* |
| ¿Puedo pagar con tarjeta de crédito? | Posso pagar com cartão de crédito?<br>*Pósu pagár com cartãu de créditu?* |

| | |
|---|---|
| ¿Me puede cambiar este billete de 20 euros? | **Tem troco para esta nota de 20 euros?**<br>*Tãim tróçu prá eshta nóta de 20 eurush?* |
| ¿Cuál es la próxima salida? | **Qual é a próxima saída?**<br>*Cuál é a prósima saída?* |
| ¿Dónde está el próximo puesto de peaje? | **Onde é a próxima portagem?**<br>*Óndd é a prósima purtájãim?* |

**Si tienes una avería**

## Frases útiles para expresarte

| | |
|---|---|
| Perdone, tengo el coche averiado | **Desculpe mas o meu carro está avariado**<br>*Deshcúlpp mash u meu cárru eshtá avariádu* |
| Necesito una grúa | **Preciso de uma grua**<br>*Presíssu dd úma grúa* |
| ¿Puede ayudarme a empujar? | **Podia ajudar-me a empurrar?**<br>*Pudía ajudarmm a empurrár?* |
| ¿Dónde está el taller mecánico más cercano? | **Onde fica a oficina mais próxima?**<br>*Óndd fíca a ufisina maish prósima?* |
| Mi coche se ha quedado parado en el kilómetro tres de la autopista | **O meu carro ficou parado no quilómetro três da auto-estrada**<br>*U meu cárru ficou parádu nu quilómetru tréhs da autoshtrada* |
| Mi coche pierde gasolina | **O meu carro perde gasolina**<br>*U meu cáru perde gassulína* |
| Se ha recalentado el radiador | **O radiador aqueceu**<br>*U rradiadór aqueséu* |
| Tengo un problema en los frenos | **Tenho um problema nos travões**<br>*Téñu u[m] publéma nush travóesh* |
| ¿Puede remolcar mi coche hasta el garaje más cercano? | **Posso rebocar o meu carro até a garagem mais próxima?**<br>*Pósu rrebucár u meu cárru até a garajãim maish prósima?* |
| Se ha descargado la batería | **Descarregou-se a bateria**<br>*Descarregouss a bateria* |
| ¿Cuánto tardará en reparar la avería? | **Quanto vai demorar em solucionar a avaria?**<br>*Cuántu vai demurár ãim solusiunár a avaría?* |

| | |
|---|---|
| ¿Cuánto me costará reparar la avería? | Quanto vai custar a reparação da avaria?<br>*Cuántu vai cushtar a reparasãu da avaría?* |

## Lo que puedes oír

| | |
|---|---|
| Onde deixou o carro? | ¿Dónde ha dejado el coche? |
| Não é conveniente arranjar o motor, custaria demasiado | No le conviene reparar el motor, le costaría demasiado |
| Lamento imenso, mas não temos peças de reposição para o seu modelo de carro | Lo siento, pero no tenemos piezas de recambio para su modelo de coche |
| Não é nada grave, simplesmente se descarregou a bateria | No es nada grave, simplemente se ha descargado la batería |
| O seu carro já está pronto | Yá está, su coche está listo |
| A reparação custaria cem euros | La reparación le costaría cien euros |

### Las averías del coche

## Frases útiles para expresarte

| | |
|---|---|
| Batería descargada | Bateria descarregada<br>*Batería deshcarregáda* |
| Pinchazo en las ruedas | Furo nos pneus<br>*Fúru nush pneush* |
| Pastillas de freno consumidas | Sapatas do travão gastas.<br>*Sapátash du travãu gáshtash* |
| Motor recalentado | Motor aquecido<br>*Mutór aquesñidu* |
| Correa de transmisión rota | Correia da transmissão partida<br>*Correia da transmisãu partída* |
| Radiador agujerado | Radiador furado<br>*Radiadór furádu* |
| Bujías consumidas | Velas gastas<br>*Velash gashtash* |
| Filtro de aire sucio | Filtro do ar sujo<br>*Filtru du ar súju* |

## Palabras que puedes necesitar

| | | |
|---|---|---|
| amortiguador | amortecedor | *amurtesedór* |
| batería | bateria | *batería* |
| bujía/s | vela /s | *véla/sh* |
| correa | correia | *curreia* |
| filtro de aire | filtro do ar | *filtru du ar* |
| freno | travão | *travãu* |
| marcha | mudanças | *mudánsas* |
| motor | motor | *mutór* |
| neumático/s | pneu/s | *pneu/sh* |
| radiador | radiador | *rradiadór* |

**Si ocurre un accidente.** El teléfono de emergencias en Portugal es el 112.

## Frases útiles para expresarte

| | |
|---|---|
| He sufrido un accidente, ¿puede llamar a la GNR? | Tive um acidente, podia chamar à GNR?<br>*Tive u[m] asidéntt pudía shamár a GNR?* |
| Este es el número de mi póliza de seguros | Este é o número da minha apólice de seguros<br>*Eshte é u número da míña apólise dd segúrush* |
| Es culpa suya, yo tenía preferencia | O senhor é o culpado. Eu tinha a preferência<br>*U señór é u culpádu eu tiña a preferénsia* |
| Estoy bien, no me he hecho nada | Estou bem. Não fiquei magoado<br>*Eshtou bãim nãu fiquei maguádu* |
| Ese/a señor/a lo ha visto todo | Esse/a senhor/a viu tudo<br>*Ese/a señór/a viu túdu* |
| ¿Puede llamar a un intérprete? | Podia chamar um intérprete?<br>*Pudía shamár u[m] intérprete?* |
| Mi póliza de seguro es a todo riesgo | A minha apólice de seguro é contra todos os riscos<br>*A miña apólise dd segúru é contra tódush ush ríshcus* |
| Mi coche está avariado | O meu carro está avariado<br>*U meu cárru eshtá avariadu* |
| ¿Podría llamar una grúa? | Podia chamar uma grua?<br>*Pudía shamár úma grúa?* |

| | |
|---|---|
| ¿Es grave? | **É grave?**<br>*É gráve?* |
| No, está todo bien, no me he hecho daño | **Não, está tudo bem. Não fiquei ferido**<br>*Nãu eshtá túdu bãim nãu fiquei ferídu* |
| ¿Puedo llamar a una ambulancia? | **Posso chamar uma ambulância?**<br>*Possu shamár úma ambulánsia?* |
| ¿Debo poner el triángulo rojo? | **Devo colocar o triângulo vermelho?**<br>*Devu culucár u triángulu verméllu?* |

## Si te para la policía

### Frases útiles para expresarte

| | |
|---|---|
| Aquí tiene el carnet de conducir y el permiso de circulación | **Aquí tem a carta de condução e a licença de circulação**<br>*Aquí tãim a carta dd condussãu i a lisensa dd sirculasãu* |
| Por favor, hable más lentamente, soy español/a | **Por favor, fale mais devagar, sou espanhol/a**<br>*Pur favór fale maish devagár, sou eshpañól/a* |
| Me han robado la rueda de repuesto | **Roubaram-me a roda sobresselente**<br>*Rroubaramm a róda subreselentt* |
| Querría llamar al consulado español | **Queria ligar ao Consulado espanhol**<br>*Quería ligar ao cunsuladu eshpañól* |
| ¿Dónde está la comisaría más cercana? | **Onde é a esquadra de polícia mais próxima**<br>*Óndd é a eshcuadra dd polísia maish prósima* |
| Yo iba a menos de 100 kilómetros por hora | **Eu circulava a menos de 100 quilómetros por hora**<br>*Eu sirculáva a menush dd 100 quilómetrush pur óra* |
| Necesito un abogado que hable español | **Preciso de um advogado que fale espanhol**<br>*Presíssu dd u(m advugádu que fále eshpañól* |
| ¿Puedo irme? | **Posso ir embora?**<br>*Póssu ir ãimbóra?* |
| Querría denunciar la pérdida / el robo de mi carnet de conducir | **Queria denunciar a perda / o roubo da minha carta de condução**<br>*Quería denunsiár a pérda / u rroubo da míña cárta de cundusãu* |

| | |
|---|---|
| No he visto la señal vial | Não vi o sinal<br>*Nãu vi u sinál* |
| ¿Cuánto es la multa? | Quanto é a multa?<br>*Cuántu é a múlta?* |

## Lo que puedes oír

| | |
|---|---|
| Os documentos se faz favor | ¡Los documentos, por favor! |
| O senhor ultrapassou o limite de velocidade | Usted ha superado el límite de velocidad |
| Devo multá-lo por excesso de velocidade | Debo ponerle una multa por exceso de velocidad |
| Fala português? | ¿Habla portugués? |
| O senhor passou o semáforo com o sinal vermelho! | ¡Usted ha pasado con el semáforo en rojo! |
| A sua carta de condução caducou | Su carnet de conducir ha caducado |
| Posso ver a sua carta / a sua licença de circulação / o selo? | ¿Puedo ver su carnet / su permiso de circulación / el sello? |
| Este documento não é válido, caducou! | ¡Este documento no es válido, ha caducado! |
| O senhor não respeitou o stop / a preferência! | ¡Usted no ha respetado el stop / la preferencia! |
| O senhor cometeu uma infracção! | ¡Usted ha cometido una infracción! |
| Está bem, circule. Desta vez pode passar | Adelante, váyase, por esta vez no pasa nada |
| Lamento imenso, mas deve acompanhar-me à esquadra da polícia | Lo siento, pero debe acompañarme a la comisaría |
| Para a próxima vez tenha mais cuidado | La próxima vez vaya con más cuidado |

### Señales en la ciudad y en la carretera

## Lo que puedes ver

| | |
|---|---|
| Acender os faróis no túnel | Encender las luces en el túnel |
| Nevoeiro | Bancos de niebla |
| Ceder prioridade | Ceda el paso |
| Centro da cidade | Centro ciudad |
| Ultrapassagem proibida | Prohibido adelantar |
| Proibido estacionar | Prohibido aparcar |
| Proibida a passagem | Prohibido el paso |

# 2 Desplazamientos

| | |
|---|---|
| Alfândega | Aduana |
| Via de dois sentidos | Circulación en doble sentido |
| Final da auto-estrada | Fin de autopista |
| Informação turística | Información turística |
| Trabalhos na via | Obras |
| Limite de velocidade | Límite de velocidad |
| Mantenha-se na direita | Mantenerse a la derecha |
| Reduza a velocidade | Modere la velocidad |
| Não use os máximos | No usar luces largas |
| Uso obrigatório de correntes | Uso obligatorio de cadenas |
| Estacionamento | Aparcamiento |
| Passagem de nível | Paso a nivel |
| Portagem | Peaje |
| Perigo | Peligro |
| Perigo deslizamentos | Peligro deslizamientos |
| Reduza a velocidade | Disminuya la velocidad |
| Semáforo | Semáforo |
| Via de sentido único | Sentido único |
| Estrada cortada / em obras / escorregadia | Carretera interrumpida / en obras / resbaladiza |
| Passadeiras | Paso de cebra |
| Saída de veículos | Salida de vehículos |
| Viaducto | Viaducto |
| Zona de trânsito limitado | Zona de tráfico limitado |
| Zona pedonal | Zona peatonal |

**Hacer autostop**

## Frases útiles para expresarte

| | |
|---|---|
| ¿Me puede llevar? | Podia levar-me?<br>*Pudía levarmm?* |
| ¿Dónde va? | Onde vai?<br>*Óndd vai?* |
| Somos tres, ¿podemos subir? | Somos três, podemos subir?<br>*Somush tresh pudémush subír?* |
| Voy a Lisboa | Vou a Lisboa<br>*Vo a lishbóa* |
| Es Ud. verdaderamente amable | O senhor foi muito amável<br>*U señór fou múi(n)tu amável* |
| He llegado | Cheguei<br>*Sheguéi* |

# Alojamiento



En Portugal, al igual que en España, se puede disfrutar de varios tipos de alojamiento, dado su marcado carácter turístico. Desde hoteles de cinco estrellas hasta de una, según clasificación de la Dirección General de Turismo. Hoteles de lujo, palacios rehabilitados, hostales familiares, apartamentos, apart-hoteles, pensiones, etc. También existen las pousadas equivalentes a nuestros Paradores Nacionales, las albergarias o estalagens que encontrarían su equivalente en nuestros hostales y las pensões, pensiones. La mayoría de los hoteles se encuentra en Lisboa, Oporto y las zonas más turísticas del país como el Algarve, Estoril y Cascais.
Otras alternativas son el turismo rural y el turismo de habitação, que ha conocido un gran aumento en estos últimos años.
Por último, Portugal dispone de más de un centenar de campings oficiales. !

Las «pousadas» están ubicadas en emplazamientos únicos. Son algo más caras, pero la cocina es excelente y la buena relación calidad-precio las convierte en una opción a tener en cuenta.

# 3 Alojamiento

## 3.1 Buscar alojamiento

**¿Dónde dormir?** Dada la variedad de establecimientos no es difícil encontrar alojamiento digno a buen precio. Déjate aconsejar por los nativos.

### Frases útiles para expresarte

| | |
|---|---|
| ¿Hay algún hotel / pensión/ albergue cerca de aquí? | Há algum hotel / pensão/ albergaria perto daqui?<br>*Á algúm utél / pensãu / albergaría pértu daquí?* |
| ¿Podría aconsejarme un hotel cerca de aquí? | Podia aconselhar-me um hotel perto daqui?<br>*Pudia acunsellármm u(m) útel pértu daquí?* |
| ¿Tienen habitaciones libres? | Têm quartos livres?<br>*Teiem cuártush lívresh?* |
| ¿El hotel queda cerca del centro de la ciudad / de la playa? | O hotel fica perto do centro da cidade / da praia?<br>*U utél fíca pértu du séntru da sidádd / da práia* |
| Solo nos quedaremos dos / tres noches | Somente ficaremos duas / três noites<br>*Soménte ficarémush duash / trésh noitesh* |
| ¿Está incluido el desayuno? | É incluido o pequeno-almoço?<br>*É incluidu u piquénu almósu?* |
| ¿Se admiten animales domésticos? | Admite-se animais de estimação?<br>*Admitess animáish dd eshtimasãu?* |
| ¿El hotel cuenta con garage? | O hotel tem parque de estacionamento?<br>*U utél tãim párqu dd eshtasiunaméntu?* |
| ¿Qué servicios ofrece este hotel? | Quais são os serviços deste hotel?<br>*Cuáish sãu ush servísush deste utél?* |
| Podría recomendarme un hotel / pensión / albergue más barato? | Podia aconselhar-me um hotel/ pensão / albergaria mais barato/-a?<br>*Pudía acunsellármm u(m) utél / pensãu / albergaría maish barátu/-a?* |
| ¿Podría enseñarme alguna foto de la habitación? | Podia mostrar-me alguma foto do quarto?<br>*Pudía mushtrármm algúma fótu du cuártu?* |

| | |
|---|---|
| ¿Hay algo más grande / pequeño / barato? | Há alguma coisa maior / mais pequena / mais barata?<br>*Á algúma coissa maish baráta / maiór / piquéna?* |
| ¿El apartamento está totalmente equipado? | O apartamento está totalmente equipado?<br>*U apartaméntu eshtá tutalméntt iquipádu?* |

## Lo que puedes oír

| | |
|---|---|
| Em que posso ajudá-lo? | ¿En qué puedo ayudarlo? |
| Não, não está longe daqui | No, no está lejos de aquí |
| É melhor ligar antes para ver se há quartos livres | Es mejor llamar antes para ver si hay habitaciones libres |
| Lamento imenso, mas está tudo ocupado | Lo siento, está todo ocupado |
| Quantas noites vão ficar? | ¿Cuántas noches se van a quedar? |
| O hotel possui vários serviços | El hotel dispone de varios servicios |
| O apartamento também tem uma cozinha completamente equipada | El apartamento también tiene una cocina completamente equipada |
| Somente admitimos animais de estimação pequenos | Solamente admitimos animales de compañía pequeños |
| Aqui tem uma lista das casas de aluguer | Aquí tiene un listado de las casas en alquiler |
| Quando pensam ir embora? | ¿Cuándo piensan marcharse? |

## Lo que puedes ver

| | |
|---|---|
| Aluga-se no Verão / fim de semana | Se alquila para el periodo veraniego / fin de semana |
| Ar condicionado | Aire acondicionado |
| Quarto com casa de banho /individual / duplo | Habitación con baño/ individual/ doble |
| Pagamento antecipado | Pago por adelantado |
| Pensão completa / meia pensão | Pensión completa / media pensión |
| Serviço de Internet | Servicio de internet |
| Serviço despertador | Servicio despertador |
| Tudo completo | Todo completo |
| É prohibido fumar no quarto | Prohibido fumar en la habitación |

# 3 Alojamiento

| | |
|---|---|
| Casa de banho | Servicio / WC |
| Não incomodar | No molestar |
| Saída de emergência | Salida de emergencia |
| Telefone | Teléfono |
| Sala de jantar | Comedor |
| Recepção | Recepción |

## Palabras que puedes necesitar

| | | |
|---|---|---|
| aire acondicionado | ar condicionado | *ar condisionádu* |
| anticipo | antecipo | *antesípu* |
| apartamento | apartamento | *apartaméntu* |
| ascensor | elevador | *ilevadór* |
| baño | casa de banho | *cássa dd báñu* |
| camping | parque de campismo | *párque dd campíshmu* |
| carnet de identidad | bilhete de identidade | *billétt dd identidádd* |
| cena | jantar | *jantár* |
| desayuno | pequeno-almoço | *piquénu-almósu* |
| despertador | despertador | *deshpertadór* |
| documento identificativo | documento identificativo | *ducuméntu identificatívu* |
| ducha | chuveiro | *shuvéiru* |
| equipaje | bagagem | *bagajãim* |
| estudio | estúdio | *eshtúdiu* |
| garaje | garagem | *garájãim* |
| habitación | quarto | *cuártu* |
| habitación con dos camas | quarto com duas camas | *cuártu com duash cámash* |
| habitación de matrimonio | quarto de casal | *cuártu dd casál* |
| habitación doble | quarto duplo | *cuártu dúplu* |
| habitación individual | quarto individual | *cuártu individuál* |
| hall | recepção | *rresesãu* |
| hotel | hotel | *utél* |
| llave | chave | *sháve* |
| maleta | mala | *mála* |
| pasaporte | passaporte | *passapórtt* |
| pensión | pensão | *pensãu* |
| precio | preço | *présu* |
| reserva | reserva | *rreserva* |
| tarifa | tarifa | *ttrífa* |
| televisor | televisão | *televisãu* |
| turismo rural | turismo rural | *turíshmu rrurál* |

## 3.2 Reservas y precios

**Cómo reservar una habitación y preguntar por los servicios que ofrecen**

### Frases útiles para expresarte

| | |
|---|---|
| Querría reservar una habitación doble | Queria reservar um quarto duplo<br>*Quería rreservár u(m) cuártu dúplu* |
| ¿Tienen habitaciones para Semana Santa? | Têm quartos para a Semana Santa?<br>*Teiem cuártush prá Semána Sánta?* |
| ¿Cuál es el precio por noche de la habitación? | Qual é o preço do quarto por noite?<br>*Cuál é u présu du cuártu pur noitt?* |
| ¿El desayuno está incluido en el precio? | Inclui o pequeno-almoço no preço?<br>*Inclui u piquenu-almósu nu présu?* |
| ¿Puedo pagarle mediante transferencia? | Posso pagar através de transferência?<br>*Póssu pagár atravésh dd transhferénsia?* |
| ¿Su hotel tiene página web? | O seu hotel tem site?<br>*U seu utél tãim sait?* |
| ¿Puedo hacer la reserva por Internet? | Posso fazer a reserva por internet?<br>*Pósu fassér a rreséрva pur internét?* |
| ¿Tienen servicio de habitaciones? | Tem serviço de quartos?<br>*Tãim servísu dd cuártush?* |
| No querríamos pagar más de 40 euros por noche | Não queriamos pagar mais de 40 euros por noite<br>*Nãu queríamushpagár maish dd cuarénta eurush pur noíte* |
| ¿Nos pueden hacer un descuento? | Podem fazer-nos um desconto?<br>*Pudiam fassérnush u(m) deshcóntu?* |
| ¿Aceptan animales? | Aceitam animais?<br>*Aseitam animáish?* |

### Lo que puedes oír

| | |
|---|---|
| Lamento imenso. Para fazer a reserva tem que pagar um antecipo | Lo siento. Para hacer la reserva tiene que pagar un anticipo |
| Lamento muito mas o hotel está completo | Lo siento. El hotel está completo |
| Tente chamar daqui a uns dias para ver se algum cliente cancelou a sua reserva | Intente llamar dentro de unos días por si algún cliente ha cancelado su reserva |

# 3 Alojamiento

| | |
|---|---|
| Quer reservar um quarto individual / duplo / triplo? | ¿Quiere reservar una habitación individual / doble / triple? |
| Para quantas noites? | ¿Para cuántas noches? |
| O antecipo pode pagá-lo através de transferência | El anticipo lo puede pagar a través de transferencia |
| Pode dar-me os seus dados? | ¿Me puede dar sus datos? |
| Podia enviar-me um fax com o seu passaporte ou bilhete de identidade? | Podría enviarme un fax con su ¿pasaporte o carné de identidad? |
| Na hipótese de cancelar a reserva uma semana antes, devolvemos-lhe o antecipo | Si cancela la reserva una semana antes, le devolvemos el anticipo |
| Tem de pagar antecipadamente a importância total | Debe pagar en anticipo el importe total |

## 3.3 Hotel

### Llegada

### Frases útiles para expresarte

| | |
|---|---|
| Querría una habitación doble | Queria um quarto duplo<br>*Quería u[m] cuártu dúplu* |
| Soy el Sr. Ruiz. Tengo una reserva para una habitación individual | Sou o Sr. Ruiz. Fiz uma reserva para um quarto individual<br>*Sou u señór rruish, marquei úma rresserva para u[m] cuártu individuál* |
| ¿Cuál es la tarifa por noche? | Qual é a tarifa por noite?<br>*Cuál é a tarifa pur noite?* |
| ¿Se hacen descuentos por grupos / fin de semana / viajes de novios / viajes de negocios? | Fazem descontos por grupos / fim de semana / viagens de noivos / viagens de negócios?<br>*Fássãim deshcóntus pur grúpush /fim dd semána / viájãins dd noivush / viájãins dd negósiush?* |
| Aquí tiene mi pasaporte / carné de identidad | Aqui tem o meu passaporte / bilhete de identidade<br>*Aquí tãim u méu pasapórt / billétt dd idéntidádd* |
| ¿Aceptan tarjetas de crédito? | Aceitam cartões de crédito?<br>*Aseítam cartóesh dd créditu?* |
| Preferiría una habitación más grande | Preferia um quarto maior<br>*Prefería u[m] cuártu maiór* |

| | |
|---|---|
| ¿Puede pedirme un taxi? | **Podia chamar um taxi?**<br>*Pudía shamár u[m] tácsi?* |
| Quería una habitación exterior / interior | **Queria um quarto exterior / interior**<br>*Quería u[m] cuártu eshteriór / interiór* |
| ¿Podría ver la habitación? | **Podia ver o quarto?**<br>*Pudía vér u cuártu?* |
| Nos quedaremos cuatro noches | **Ficaremos quatro noites**<br>*Ficarémush cuátru noitesh* |
| Quiero una habitación doble para uso individual | **Queria um quarto duplo para uso individual**<br>*Quería u[m] cuártu dúplu prá ússu individuál* |
| ¿Puedo dejar aquí las maletas? | **Posso deixar aqui as malas?**<br>*Póssu deishár aquí ash málash?* |

## Lo que puedes oír

| | |
|---|---|
| **Somente temos um quarto interior** | Nos queda una habitación interior |
| **Lamento imenso mas não temos outro quarto disponível** | Lo siento, no queda otra habitación disponible |
| **Lamento muito mas não temos quartos** | Lo siento, no nos quedan habitaciones |
| **Somente temos um quarto individual exterior** | Nos queda una habitación individual exterior |
| **Vou precisar do seu passaporte** | Necesitaré su pasaporte |
| **Preencha esta ficha, se faz favor** | Rellene esta ficha, por favor |
| **Podia dar-me a sua documentação?** | ¿Me permite su documentación? |
| **O senhor vai usar o estacionamento do hotel?** | ¿Utilizará el parking del hotel? |
| **Assine aqui, se faz favor** | Firme aquí, por favor |
| **Esta é a sua chave** | Esta es su llave |
| **Podemos colocar uma cama extra no quarto duplo** | Podemos poner un suplemento en la habitación doble |
| **O estacionamento está aberto 24 horas** | El parking está abierto 24 horas |

### Estancia

## Frases útiles para expresarte

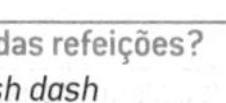

| | |
|---|---|
| ¿Cuál es el horario de comidas? | **Quais são os horários das refeições?**<br>*Cuaish sãu ush uráriush dash rrefeisóesh?* |

# 3 Alojamiento

| | |
|---|---|
| ¿Puede darme la llave de la habitación, por favor? | **Podia dar-me a chave do quarto, se faz favor?**<br>*Pudía dármm a sháve du cuártu se fash favór?* |
| ¿Dónde están los ascensores, por favor? | **Desculpe, onde estão os elevadores?**<br>*Deshcúlpp, óndd eshtãu ush ilevadóresh?* |
| ¿Dónde está el comedor / la cafetería / la terraza / la piscina? | **Onde está a sala de jantar / o café / a esplanada / a piscina?**<br>*Óndd eshtá a sála dd jantár / u café / a eshplanáda / a pishína?* |
| ¿Podría despertarme a las 7.30, por favor? | **Podia acordar-me às 7.30?**<br>*Pudía acurdármm ash séte i trínta?* |
| ¿Hay servicio de habitaciones? | **Tem serviço de quarto?**<br>*Tãim servísu dd cuártu?* |
| ¿Pueden retirar el servicio de la habitación? | **Podiam retirar o serviço de quarto?**<br>*Pudíam rretirár u servísu dd cuártu?* |
| ¿Hasta qué hora funciona la cafetería? | **Até que horas abre o café?**<br>*Até que órash abrr u café?* |
| ¿Hay caja fuerte en la habitación? | **Há cofre no quarto?**<br>*Á cófrr nu cuártu?* |
| Quisiera utilizar la caja fuerte del hotel | **Queria utilizar o cofre do hotel**<br>*Quería utilissár u cófrr du utél* |
| ¿Se puede telefonear al exterior directamente desde la habitación? | **Pode-se telefonar para o exterior directamente do quarto?**<br>*Pódess tlefunár prá u eshteriór diretamentt du cuártu?* |
| ¿Cómo puedo telefonear a otra habitación? | **Como posso telefonar para outro quarto?**<br>*Cómu póssu tlefunár prá outru cuártu?* |
| Quisiera hablar con el director, por favor | **Queria falar com o director, se faz favor**<br>*Quería falár com u diretór se fash favór* |
| ¿Podrían poner una cuna en la habitación? | **Podiam colocar um berço no quarto?**<br>*Pudíam culucár u(m) bérsu nu cuártu?* |
| Necesito mantas / una almohada / toallas | **Preciso de um cobertor / uma almofada / toalhas**<br>*Presíssu dd u(m) cubertór / úma almufáda / tuállash* |
| ¿Hay algún mensaje para mí? | **Há alguma mensagem para mim?**<br>*Á algúma mensajãim prá mím?* |

## Lo que puedes oír

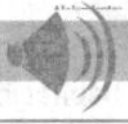

| | |
|---|---|
| O que deseja? | ¿Qué desea? |
| O senhor tem o seu quarto no segundo andar | Tiene su habitación en la segunda planta |
| Tudo está a correr bem? | ¿Va todo bien? |
| Precisavam de mais alguma coisa? | ¿Necesitan algo más? |
| O horário do pequeño-almoço é das oito às dez e meia | El horario de desayuno es de ocho a diez y media |
| Pode utilizar o parque de estacionamento do hotel | Puede utilizar el aparcamiento del hotel |
| A que horas deseja que lhe acordem amanhã de manhã? | ¿A qué hora quiere que le despierten mañana por la mañana? |
| A piscina / a sala de jantar / o elevador está por aqui | La piscina / el restaurante / el ascensor está por aquí |

## 3.4 Casa rural

**Llegada y estancia.** Hay tres asociaciones de propietarios de casas rurales, cualquiera de las cuales permite alojarse en fincas, granjas y casas solariegas como invitados de las familias y con la posibilidad de ayudar en las tareas de la casa si se desea.

## Frases útiles para expresarte

| | |
|---|---|
| ¿Hay televisión / microondas / lavadora / frigorífico / teléfono en el apartamento / la casa? | A casa / o apartamento tem televisão / micro-ondas / máquina de lavar roupa / frigorífico / telefone?<br>*A cássa / o apartaméntu tãim tlevissãu / micruondash / máquina dd lavár rróupa / frigurífícu / tlefónn?* |
| ¿Tiene acceso para minusválidos? | Tem acesso para deficientes físicos?<br>*Tãim assésssu prá defisientesh físsicush?* |
| Tenemos reserva para una casa / un apartamento / una habitación | Reservámos uma casa / um apartamento / um quarto<br>*Rresservámush úma cássa / u(m) apartaméntu / u(m) cuártu* |
| ¿Dónde está la recepción? | Onde está a recepção?<br>*Óndd eshtá a rresesãu?* |

# 3 Alojamiento

| | |
|---|---|
| ¿Para cuántas personas es la casa / la habitación? | **Para quantas pessoas é a casa / o quarto?**<br>*Prá cuántash pesóash é a cássa / u cúartu?* |
| ¿Dónde está la llave de paso del agua / del gas? | **Onde está a torneira de passagem da água / do gás?**<br>*Óndd eshtá a turneira dd pasájãim da água / du gásh?* |
| ¿Hay ropa de cama / toallas / papel higiénico? | **Há roupa de cama / toalhas / papel higiénico?**<br>*Á rroupa dd cáma / tuállash / papél igiénicu?* |
| ¿Podría traernos alguna manta más? | **Podia trazer-nos mais um cobertor?**<br>*Pudía trassérnush maish u(m) cubertór?* |
| ¿Hay servicio de limpieza? | **Há serviço de limpeza?**<br>*Á servúsu dd limpéssa?* |
| ¿Cuándo viene el servicio de limpieza? | **Quando vem o serviço de limpeza?**<br>*Cuándu vãim u servísu dd limpéssa?* |
| ¿Hay calefacción / aire acondicionado? | **Há aquecimento / ar condicionado?**<br>*Á aquesiméntu / ár cundisiunádu?* |
| ¿Admiten animales? | **Admitem animais?**<br>*Admítem animáish?* |
| ¿Dónde dejamos la basura? | **Onde podemos deixar o lixo?**<br>*Óndd pudémush deishár u líshu?* |
| ¿Cuando retiran la basura? | **Quando retiram o lixo?**<br>*Cuándu rretiram u líshu?* |
| ¿Hemos de reparar los desperfectos? | **Temos de reparar os danos?**<br>*Témush dd rrepará ush dánush?* |
| ¿Dónde está el supermercado más cercano? | **Onde está o supermercado mais próximo?**<br>*Óndd eshtá u supermercádu maish prósimu?* |
| ¿La cocina es eléctrica o de gas? | **O fogão funciona com electricidade ou com gás?**<br>*U fugão funsiona com eletrisidádd ou com gásh?* |
| ¿Cómo se enciende el calentador? | **Como se acende o esquentador?**<br>*Cómu se aséndd u eshquentadór?* |
| ¿Hay algún encargado del mantenimiento? | **Há algum encarregado da manutenção?**<br>*Á algúm encarregádu da manutensãu?* |

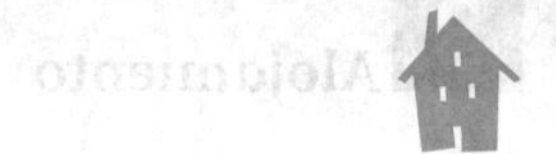

| | |
|---|---|
| ¿Se puede utilizar la chimenea? | Pode-se utilizar a lareira?<br>*Pódess utilissár a lareira?* |
| ¿El agua de los grifos es potable? | A água das torneiras é potável?<br>*A água dash turneirash é putável?* |

## Lo que puedes oír

| | |
|---|---|
| Tem de pagar o seguro | Tiene que pagar el seguro |
| O camião do lixo passa terças e sábados por volta das 8 da manhã | El camión de la basura pasa los martes y sabados sobre las 8 de la mañana. |
| Deixe os sacos do lixo na rua a noite anterior, se faz favor | Deje las bolsas en la calle la noche anterior, por favor |
| Já lhe ensinei tudo, quer fazer mais alguma pregunta? | Le he enseñado todo, ¿alguna pregunta? |
| A lenha para a lareira está no alpendre | La leña para la chimenea está en el cobertizo |
| Não admitimos animais | No admitimos animales |

# 3.5 Albergue

**Llegada**

## Frases útiles para expresarte

| | |
|---|---|
| Por favor, ¿me podría indicar dónde se encuentra el albergue? | Por favor, podía indicar-me onde se encontra a pousada de juventude?<br>*Pur favór pudía indicármm óndd se encóntra a poussáda dd juventúdd?* |
| ¿Cuánto cuesta por día? | Quanto custa por dia?<br>*Cuánto cúshta pur día?* |
| ¿Me puede decir si está en un lugar bien comunicado? | Podia dizer-me se está num local bem comunicado?<br>*Pudía dissérmm se eshtá num lucál bãim cumunicádu?* |
| ¿Podría decirme qué autobús me deja más cerca? | Podia dizer-me qual é o autocarro que me deixaria mais perto?<br>*Pudía dissérmm cuál é u autucárru que mm deisharía maish pértu?* |
| ¿Tienen sitio para cuatro personas? | Têm lugar para quatro pessoas?<br>*Teiem lugár prá cuátru pesóash?* |

# Alojamiento

| | |
|---|---|
| ¿A qué horas cierra por la noche? | A que horas fecha à noite?<br>*A que órash fécha a noitt?* |
| Tengo una tarjeta internacional | Tenho um cartão internacional<br>*Téñu u(m) cartãu internasiunál* |
| ¿Cuántas personas duermen en la habitación? | Quantas pessoas dormem no quarto?<br>*Cántash pesóash dórmãim nu cuártu?* |

## Lo que puedes oír

| | |
|---|---|
| Lamento, mas não há lugares | Lo siento, no hay sitio |
| Para chegar até aqui, tem de apanhar autocarro número 12 | Para llegar aquí, debe coger el autobús número 12 |
| Marcaram uma reserva? | ¿Tienen una reserva? |
| Lamento imenso, mas esta pousada é somente para mulheres / homens | Lo lamento, pero este albergue es solo para mujeres / hombres |
| Só aceitamos o pagamento em dinheiro | Sólo aceptamos pago en dinero |
| Podia ensinar-me o seu cartão? | ¿Puede enseñarme su tarjeta? |
| Quantos dias vão ficar? | ¿Cuántos días se van a quedar? |
| Fechamos a meia-noite | Cerramos a las doce de la noche |
| Pode-se alugar lençóis | Las sábanas se pueden alquilar |
| Tem de pagar um suplemento | Debe pagar un suplemento |

### Estancia

## Frases útiles para expresarte

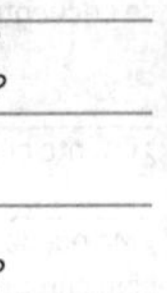

| | |
|---|---|
| ¿Me puede dar otra manta? | Podia dar-me outro cobertor?<br>*Pudía dármm outru cubertór?* |
| ¿Puedo dormir en el saco? | Posso dormir no saco?<br>*Pósu durmír nu sácu?* |
| ¿Dónde están los baños? | Onde está a casa de banho?<br>*Óndd eshtá a cássa dd báñu?* |
| ¿Podemos fumar en la habitación? | Podemos fumar no quarto?<br>*Pudémush fumár nu cuártu?* |
| ¿Podemos planchar la ropa? | Podemos passar a roupa?<br>*Pudémush pasár a rroupa?* |
| ¿A qué hora debemos dejar la habitación? | A que horas temos de deixar o quarto?<br>*A qui órash témush dd deishár u cuártu?* |
| ¿Cómo puedo llegar al centro? | Como podia chegar à baixa?<br>*Cómu pudía shegár a baisha?* |

## Lo que puedes oír

| | |
|---|---|
| A casa de banho está no fundo do corredor à direita | Los baños están al fondo del pasillo a la derecha |
| Se quiser pode utilizar a cozinha comum | Si lo desea, puede utilizar la cocina común |
| Esta é a chave do quarto | Esta es la llave del cuarto |
| Não se preocupe, eu acordo o senhor às sete | No se preocupe, yo lo despierto a las siete |
| Aqui tem uma planta da cidade | Aquí tiene un mapa de la ciudad |
| Tem de fazer a cama você próprio | La cama debe hacerla usted mismo |

## 3.6 Camping

**Llegada y estancia.** En los *Postos de Turismo,* podrá encontrar un listado de los más de cien campings existentes en Portugal agrupados por categorías. El carnet internacional de campista puede ser de utilidad.

## Frases útiles para expresarte

| | |
|---|---|
| ¿Dónde está la recepción, por favor? | Por favor, onde está a recepção?<br>*Pur favór óndd eshtá a rresesãu?* |
| Llevamos una autocaravana | Levamos uma roulotte<br>*Levamush úma rulótt* |
| ¿Tiene una lista de precios, por favor? | Por favor, tem uma tabela de preços?<br>*Tãim úma tabela de présush* |
| ¿Tiene una parcela más grande? | Tem um alvéolo maior?<br>*Tãim u(m) alvéulu maiór?* |
| ¿Tiene una parcela más alejada de la zona de servicios? | Tem um alvéolo mais afastado da casa de banho?<br>*Tãim u(m) alvéulu maish afashtádu da cássa dd báñu?* |
| ¿Tienen piscina para niños / parque infantil? | Tem piscina para as crianças / parque infantil?<br>*Tãim pishína prás criánsash / parqu infantil?* |
| Queremos quedarnos una noche / una semana / diez días | Queriamos ficar uma noite / uma semana / dez dias<br>*Queríamush ficár úma noitt / úma semána / desh díash* |

# 3 Alojamiento

| | | |
|---|---|---|
| ¿Podemos decirle mañana cuánto tiempo nos quedaremos? | **Podíamos dizer-lhe amanhã quanto tempo vamos ficar?** | *Pudíamush dissérll amañá cuántu témpu vámush ficár?* |
| ¿Hay conexión eléctrica en la parcela? | **Há tomada de corrente no alvéolo?** | *Á tumáda dd curréntt un alvéulu?* |
| ¿Dónde está el supermercado? | **Onde está o supermercado?** | *Óndd eshtá u supermercádu?* |
| ¿Por dónde se llega a la playa? | **Por onde se vai até à praia?** | *Pur óndd se vai até a práia?* |
| El suelo no está nivelado | **O solo não está nivelado** | *U sólu nãu eshtá niveládu* |
| ¿Tiene una parcela con sombra? | **Tem um alvéolo com sombra?** | *Tãim u[m] alvéulu com sómbra?* |
| ¿Puede recomendarnos algún sitio para visitar? | **Podia aconselhar-nos algum local para visitar?** | *Pudía aconsellárnush algúm lucal prá vissitár?* |
| ¿Podemos dejar el coche en el parking? | **Podiamos deixar o carro no parque de estacionamento?** | *Podiamush deishár u carru nu párqu dd eshtasionaméntu?* |
| ¿Hay agua caliente en las duchas? | **Há água quente nos chuveiros?** | *Á água quénte nush shuveirush?* |
| ¿Dónde podemos vaciar el depósito del WC? | **Podemos esvaziar o depósito do WC?** | *Pudemush eshvassiár u depóssitu du WC?* |
| ¿Dónde llevamos la basura? | **Onde podemos deitar o lixo?** | *Óndd pudémush deitár u líshu?* |
| ¿Dónde podemos alquilar bicicletas? | **Onde podiamos alugar umas bicicletas?** | *Óndd pudíasmush alugár úmahs bisiclétts?* |
| ¿Cuál es la tarifa por tener electricidad? | **Cual é a tarifa por ter electricidade?** | *Cuál é a tarífa pur ter iletrisidádd?* |
| ¿Hay agua potable? | **Há água potável?** | *Á água putável?* |
| ¿Dónde está la zona de servicios comunes? | **Onde está a zona de serviços comuns?** | *Óndd eshtá a ssona dd servísush comúnsh?* |
| ¿Venden bombonas de gas en el supermercado? | **Vendem bilhas de gás no supermercado?** | *Véndãim bíllash dd gásh un supermercádu ?* |

| | |
|---|---|
| ¿Dónde puedo conseguir hielo? | Onde podia conseguir gelo?<br>*Óndd pudía conseguir shélu?* |
| ¿Cuál es el horario del bar? | Qual é o horário do bar?<br>*Cuál é u uráriu du bár?* |
| ¿Quién nos puede reparar la tienda? | Quem nos podia arranjar a tenda?<br>*Quãim nush pudía arranjár a ténda?* |
| ¿Hay zona para barbacoas? | Há uma zona para barbecues?<br>*Á uma ssóna prá barbequiush?* |
| ¿Hay pistas de tenis? | Há pistas de tenis?<br>*Á píshtash dd ténish?* |
| ¿Podemos reservar la pista de tenis para mañana? | Podiamos reservar a pista de tenis para amanhã?<br>*Pudíamush rreservár a píshta dd ténish prá amañá?* |

## Lo que puedes oír

| | |
|---|---|
| É proibido acampar aqui | Está prohibido acampar aquí |
| Não pode deixar a sua roulotte aqui | No puede dejar su caravana aquí |
| Em todos os alvéolos há electricidade | En todas las parcelas hay electricidad |
| Podem cozinhar nos alvéolos | Pueden cocinar en la parcela |
| Há água quente nos chuveiros | Hay agua caliente en las duchas |
| Para chegar directamente à praia há uma saída no fundo do parque | Para llegar directamente a la playa hay una salida al fondo del camping |
| Para utilizar os chuveiros tem de comprar fichas | Para utilizar las duchas debe comprar fichas |
| Vende-se gás na loja que está ao pé da recepção | La tienda de al lado de la recepción vende gas |
| Pode encontrar gás na loja que se encontra à saída do parque | Encontrará gas en la tienda que está a la salida del camping |

## Palabras que puedes necesitar

| | | |
|---|---|---|
| alfombra aislante | tapete isolante | *tapétt issulántt* |
| bungalow | bungalow | *bungalou* |
| cama de camping | cama de campismo | *cáma dd campíshmu* |
| caravana | roulotte | *rulótt* |
| cerillas | fósforos | *fóshfurush* |
| colchón | colchão | *culshãu* |
| hornillo de gas | fogareiro a gás | *fugareiru a gásh* |
| linterna | lanterna | *lantérna* |

# 3 Alojamiento

| | | |
|---|---|---|
| mástil | pau da tenda | *páu da ténda* |
| pilas | pilhas | *píllashl* |
| mochila | mochila | *mushíla* |
| piqueta | prego | *prégu* |
| saco de dormir | saco de dormir | *sácu dd durmír* |
| tienda | tenda de campismo | *ténda dd campíshmu* |

## 3.7 Problemas y reclamaciones

**Imprevistos y quejas durante la estancia.** Los *livros de reclamações* son obligatorios en todos los establecimientos públicos de Portugal y deben estar a disposición de toda persona que los solicite. Utilice bolígrafo y escriba con letra legible de forma concisa y objetiva. Después de realizar la reclamación, la persona que le atienda, deberá extraer dos de las tres hojas de que consta el formulário. La original será enviada al organismo correspondiente y la otra será entregada a quien efectúa la reclamación.

### Frases útiles para expresarte

| | |
|---|---|
| He perdido la llave | Perdi a chave<br>*Perdí a sháve* |
| ¿Puede usted ayudarme? | Podia ajudar-me?<br>*Pudía ajudármm?* |
| La puerta de mi habitación no cierra | A porta do meu quarto não fecha<br>*A pórta du meu cuártu nãu fésha* |
| La ropa de cama está sucia | A roupa de cama está suja<br>*A rroupa dd cáma eshtá súja* |
| El frigorífico no funciona | O frigorífico não funciona<br>*U friguríficu nãu funsióna* |
| La ventana no cierra | A janela não fecha<br>*A janéla nãu fésha* |
| No hay papel higiénico / toallas / agua caliente | Não há papel higiénico / toalhas / água quente<br>*Nãu á papél igiénicu / tuállash / água quénte* |
| La luz / el aire acondicionado / la calefacción no funciona | A luz / o ar condicionado / o aquecimento não funciona<br>*A lush / u ar cundisiunádu / u aquesiméntu nãu funsióna* |

| | |
|---|---|
| Hay algunos desperfectos en la habitación | **Há alguns elementos estragados no quarto**<br>*Á algúnsh iléméntush eshtrádush un cuártu* |
| Hay un cristal roto | **Há um vidro partido**<br>*Á u(m) vídru partidu* |
| La ventana no se abre | **A janela não abre**<br>*A janéla nãu ábrr* |
| La puerta no se abre | **A porta não abre**<br>*A pórta nãu ábrr* |
| El baño no huele bien | **A casa de banho não cheira bem**<br>*A cássa dd báñu nãu sheira bãim* |
| El plato de ducha está atascado | **A base de duche está entupida**<br>*A básse dd dúsh eshtá entupída* |
| Los enchufes no funcionan | **As tomadas não funcionan**<br>*Ash tumádash nãu funsiónam* |
| El grifo / la ducha gotea | **A torneira / o chuveiro goteja**<br>*A turnéira / u chuveiru gotéja* |
| No han hecho la habitación | **Não limparam o quarto**<br>*Nãu limpáram u cuártu* |
| Quisiera cambiar de habitación | **Queria mudar de quarto**<br>*Quería mudár dd cuártu* |
| Quisiera hablar con el director del hotel | **Queria falar com o director do hotel**<br>*Quería falár com o diretór du utél* |

## 3.8 Salida

**Al finalizar la estancia**

### Frases útiles para expresarte

| | |
|---|---|
| Salimos mañana por la mañana | **Saímos amanhã de manhã**<br>*Saímush amañá dd mañá* |
| Saldremos por la tarde | **Vamos sair à tarde**<br>*Vámush saír a tárdd* |
| Prepare la cuenta, por favor | **Prepare a conta, se faz favor**<br>*Prepáre a cónta se fash favór* |
| Queremos quedarnos un día más, ¿es posible? | **Queriamos ficar mais um dia. É possível?**<br>*Queríamush ficár maish u(m) dia. É pussível?* |

| | |
|---|---|
| ¿A qué hora debemos dejar la habitación libre? | A que horas temos de deixar o quarto livre?<br>*A que órash témush dd deishar u cuártu lívre?* |
| Solo he hecho dos llamadas telefónicas | Somente fiz dois telefonemas<br>*Soméntt fish doish tlefunémash* |
| No hemos cogido nada del minibar | Não consumimos nada do minibar<br>*Nãu consumímush náda du minibár* |
| ¿Podría llamarnos un taxi? | Podia chamar um taxi?<br>*Pudía shamár u(m) tácsi?* |
| ¿Puede guardarnos el equipaje hasta la tarde? | Podia guardar-nos a bagagem até esta tarde?<br>*Pudía guardárnush a bagajãim até eshta tárdd?* |
| Hay un error en la cuenta | Há um erro na conta<br>*Á u(m) érru na cónta* |
| ¿Puede hacernos una factura? | Podia fazer uma factura?<br>*Pudía fassér úma fatúra?* |
| ¿Podría explicarme estos conceptos de la factura? | Podia explicar-me estes conceitos da factura?<br>*Pudía eshplicármm éstesh conseitush da fatúra?* |

## Lo que puedes oír

| | |
|---|---|
| Não se preocupe, vamos solucioná-lo rapidamente | No se preocupe, enseguida lo arreglamos |
| O senhor deve encarregar-se da reparação | Tiene que hacerse cargo de la reparación |
| Não há problema | No hay problema |
| Com certeza, vamos fazer-lhe uma factura | Sí, claro, le vamos a hacer una factura |
| Desculpe, foi engano | Disculpe, ha sido un error |
| Não, está certo. Aqui tem o detalhe | No, está correcto. Aquí tiene el desglose |

# Comidas y bebidas 4

En Portugal no tendremos ningún problema a la hora de comer. Al igual que en España, la oferta de restaurantes y lugares donde poder disfrutar de una buena comida es bastante amplia. En las zonas costeras, encontraremos más platos preparados con productos del mar (bacalao, pez espada, atún, almejas, langostas, sardinas) mientras que en el interior del país se consume más la carne, que por otro lado es de muy buena calidad, como el «leitão» lechón y el «cabrito» asado, todo esto, claro está, dependiendo de la región.
En los restaurantes, se ofrecen las raciones individuales en «doses», que por lo general son bastante abundantes y presentadas con el producto que hemos escogido acompañado de una buena guarnición (patatas, ensalada, etc.), por lo que se recomienda pedir «meia dose» (lo que en España se considera una ración), si no se es muy comedor. En cualquier parte del país, encontraremos infinidad de establecimientos, donde poder disfrutar de la gastronomía portuguesa a muy buen precio. !



**!** Tendremos un especial cuidado con los horarios de las comidas en Portugal, donde, al igual que en la mayoría de países europeos, se empieza a comer mucho antes que en España. El desayuno se sirve a partir de las 7.00 h. de la mañana, la comida a partir de las 12.00 y la cena a partir de las 19.00 h.

# 4 Comidas y bebidas

## 4.1 Comer y beber fuera

**Buscar un restaurante.** En Portugal, dependiendo de lo que queramos gastar a la hora de comer, podremos escoger entre estas posibilidades:

*Casa de pasto.* Sirven un menú económico de tres platos.
*Restaurante.* Más formal y donde la gastronomía es más variada.
*Marisqueira.* La encontramos en las zonas costeras con gran surtido de pescados y mariscos.
*Churrasqueira.* Local donde podrás disfrutar de excelentes carnes a la parrilla. Es muy típico el pollo, *frango ao churrasco*, servido, si así lo deseas, con una salsa picante llamada *piri-piri*.
*Pousadas.* El equivalente a nuestros Paradores Nacionales, donde se sirven especialidades gastronómicas de todo el país.

### Frases útiles para expresarte

| | |
|---|---|
| Perdone, ¿puede aconsejarme un buen restaurante? | **Desculpe, podia aconselhar-me um bom restaurante?**<br>*Deshcúlpe, pudía aconsellármm u(m) bom rreshtauránt?* |
| ¿Podría indicarme dónde hay un restaurante barato? | **Podia indicar-me onde posso encontrar um restaurante barato?**<br>*Pudía indicármm óndd pósu incontrár u(m) rreshtauránt barátu?* |
| Oiga, ¿me puede indicar un restaurante por aquí cerca? | **Por favor, podia indicar-me um restaurante aqui perto?**<br>*Pur favór, pudía indicármm u(m) rreshtauránt aquí pértu?* |
| ¿Dónde podríamos ir para tomar un aperitivo? | **Onde podiamos tomar um petisco?**<br>*Ondd pudíamosh tumár u(m) petíshcu?* |
| ¿Podría aconsejarme un buen restaurante típico portugués? | **Podia aconselhar-me um bom restaurante típico português?**<br>*Pudía acunsellármm u(m) bõ rreshtauránt típicu purtughésh?* |
| ¿Podría darme la dirección / el número de teléfono del restaurante? | **Podia dar-me o endereço / o número de telefone do restaurante?**<br>*Pudía darmm u enderésu / u númeru dd ttlfónn?* |
| ¿Podemos sentarnos en aquella mesa? | **Podemos sentar-nos naquela mesa?**<br>*Pudémush sentárnush naquéla méssa?* |

| | |
| --- | --- |
| Querríamos una mesa en la terraza / cerca de la ventana/ en la zona de no fumadores | Queriamos uma mesa na esplanada / perto da janela / na zona de não fumadores<br>*Queríamush úma méssa na eshplanáda / pertu da janéla / na sóna dd nãu fumadóresh* |
| ¿Cuáles son los horarios de este restaurante? | Quais são os horários deste restaurante?<br>*Cuaish sãu ush uráriush deshte rreshtaurántt?* |
| ¿Nos podría indicar el horario de desayuno / comida / cena? | Podia indicar-nos o horário do pequeno-almoço / almoço / jantar?<br>*Pudía indicárnush u uráriu du piquénu almósu / almósu / jantár?* |
| Esperamos a dos personas más | Esperamos mais duas pessoas<br>*Eshperámush maish dúash pesóash* |
| Querría reservar una mesa para cuatro personas | Queria reservar uma mesa para quatro pessoas<br>*Quería rresservár úma mésa prá cuátru pesóash* |
| Quiero reservar una mesa para las 8 de esta noche | Queria reservar uma mesa para as 8 horas da noite<br>*Quería rresservár úma mésa prásh óitu órash da noitt* |
| ¿Puede recomendarnos un vino de la región? | Pode aconselhar-nos um vinho da região?<br>*Póde aconsellárnush u(m) víño da rregiãu?* |
| ¿Tenemos que esperar mucho tiempo? | Temos de esperar muito tempo?<br>*Témush dd eshperár múi(n)tu témpu?* |
| ¿Hay por aquí cerca algún restaurante vegetariano? | Há perto de aqui algum restaurante vegetariano?<br>*Á pértu daquí algú(m) rreshtaurántt vegetarianu?* |
| ¿Los restaurantes cierran los domingos por la noche? | Os restaurantes fecham os domingos à noite?<br>*Ush rreshtauràntesh fésham aush dumíngush a nóitt?* |
| ¿Hay acceso para discapacitados? | Há acesso para deficientes?<br>*Á asésu prá defisiéntesh?* |
| Hemos reservado una mesa para 8 personas | Reservámos uma mesa para oito pessoas<br>*Rresservámush úma méssa prá óitu pesoahs* |

# 4 Comidas y bebidas

## Lo que puedes oír

| | |
|---|---|
| Lamento mas não há mesas livres | Lo siento, pero no hay mesas libres |
| Aconselho-lhe uma churrasqueira | Le aconsejo una churrasqueira |
| São quantos? | ¿Cuántos son? |
| Para que horas quer reservar? | ¿Para qué hora quiere que apunte la reserva? |
| O que deseja? | ¿Qué desea? |
| Lamento, mas já estamos a fechar | Lo siento, pero ya estamos cerrando |
| Por favor, sente-se naquela mesa | Por favor, siéntese en aquella mesa |
| Apenas temos livre aquela mesa na zona de fumadores | Solo queda libre aquella mesa en la zona de fumadores |
| Têm de esperar até a uma da tarde | Tendrán que esperar hasta la una de la tarde |
| Gostam desta mesa? | ¿Les gusta esta mesa? |
| Esta mesa aqui está reservada | Esta mesa está reservada |
| Quem fez a reserva? | ¿A nombre de quién está hecha la reserva? |
| Deseja uma mesa para duas / quatro pessoas? | ¿Desea una mesa para dos / cuatro personas? |
| Já escolheram? | ¿Han elegido ya? |
| Desejam tomar um aperitivo? | ¿Desean tomar un aperitivo? |

## Lo que puedes ver

| | |
|---|---|
| Aberto todo o ano | Abierto todo el año |
| Carta de vinhos | Carta de vinos |
| Cozinha caseira / da região | Cocina casera / de la región |
| Ementas turísticas / para crianças | Menús turísticos / para niños |
| Não se aceitam reservas | No se aceptan reservas |
| Comida para levar | Comida para llevar |
| Comida caseira | Comida casera |
| Ementa do dia | Menú del día |
| Reserva on-line | Reserva on-line |
| Desconto para grupos | Descuentos para grupos |
| Especialidades da casa | Especialidades de la casa |
| Sugestões do chef | Sugerencias del chef |
| Fruta da época | Fruta del tiempo |

**Tipos de establecimientos**

## Palabras que puedes necesitar

| | | |
|---|---|---|
| bar | bar | *bar* |
| cafetería | café | *café* |
| cervecería | cervejaria | *servejaría* |
| asador | churrasqueira | *shurrashquéira* |
| comedor | sala de jantar | *sála de jantár* |
| enoteca/ vinateca | enoteca | *enutéca* |
| pizzería | pizzaria | *pisharía* |
| pub | pub | *pab* |
| restaurante | restaurante | *rreshtauránt* |
| salón de té | salão de chá | *salãu dd shá* |
| self service | self-service | *self-servis* |
| terraza | esplanada | *eshplanáda* |

## 4.2 Pedir

**Para comenzar a comer.** En la mayoría de los restaurantes portugueses, y para no hacer muy larga la espera hasta que esté preparada la comida, es habitual que nos sirvan unos pequeños aperitivos consistentes en aceitunas, mantequilla y algunos tipos de patés. !

## Frases útiles para expresarte

| | |
|---|---|
| ¡Camarero! | Olhe faz favor!<br>*Ólle fash favór!* |
| ¿Nos puede traer la carta? | Podia trazer a ementa?<br>*Pudía trassér a iménta?* |
| ¿Nos puede traer la carta de vinos? | Podia trazer a carta de vinhos?<br>*Pudía trassér a carta dd víñush?* |
| ¿Tienen el menú en español? | Têm a ementa em espanhol?<br>*Teiem a iménta ãim eshpañól?* |
| ¿Qué nos aconseja para empezar? | O que nos aconselha para começar?<br>*U qué nush acunsella prá cumesár?* |
| ¿Qué tienen de postre? | O que há de sobremesa?<br>*U qui á dd subreméssa?* |

Cuidado, en la mayoría de los casos se cobra. Pregunta cuando te los ofrezcan.

# 4 Comidas y bebidas

| | |
|---|---|
| Ya hemos elegido | Já escolhemos<br>*Já eshcullémush* |
| Por favor ¿quiere tomar nota? | Por favor, quer apontar?<br>*Pur favór, quér apontár?* |
| ¿Podría decirnos cuál es la especialidad de la casa? | Podia indicar-nos qual é a especialidade da casa?<br>*Pudía indicarnush cuál é a eshpesialidadd da cássa?* |
| ¿Cuál es el menú del día? | Qual é a ementa do dia?<br>*Cuál é a iménta du dia?* |
| Para mí, bacalao cocido | Para mim, bacalhau cozido<br>*Prá mim bacalláu cussídu* |
| Prefiero agua mineral / vino tinto | Prefiro água mineral / vinho tinto<br>*Prefiro água mineral / viñu tíntu* |
| ¿Tienen comida vegetariana? | Têm comida vegetariana?<br>*Teiem cumída vegetariána?* |
| Querría una ensalada | Queria uma salada<br>*Quería úma saláda* |
| Un plato de sardinas asadas | Uma dose de sardinhas assadas<br>*Úma dosse dd sardíñash asádash* |
| ¿Nos puede traer ya el postre? | Podia trazer já a sobremesa?<br>*Pudía trassér já a subreméssa?* |

## Lo que puedes oír

| | |
|---|---|
| Por favor, que deseja? | Por favor, ¿qué desea? |
| O serviço não é incluído | El servicio no está incluido |
| Aqui tem a ementa dos pratos / a carta de vinhos | Aquí tiene la carta de los platos / de los vinos |
| São quantas doses? | ¿Cuántas raciones desean? |
| Para este prato devem esperar um pouco | Para este plato deberán esperar un poco |
| Tudo é incluído no preço | Está todo incluido en el precio |
| Apenas temos vinho da casa | Sólo tenemos vino de la casa |
| Temos fruta da época | Tenemos fruta del tiempo |

## Palabras que puedes necesitar

| | | |
|---|---|---|
| camarero | empregado de mesa | *empregádu de méssa* |
| cubiertos | talheres | *talléresh* |
| cuchara / cucharilla | colher / colher de chá | *collér / collér dd shá* |

| | | |
|---|---|---|
| cuchillo para la carne / para el pescado | faca de carne / de peixe | *fáca dd cárnn / dd peishe* |
| chef | chef | *shéf* |
| especialidades | especialidades | *eshpesialidádesh* |
| fruta | fruta | *frúta* |
| mantel | toalha de mesa | *tuálla dd méssa* |
| palillo | palito | *palítu* |
| plato / platito | prato / pires | *prátu / píresh* |
| postre | sobremesa | *subreméssa* |
| primero | primeiro | *primeiru* |
| salero | saleiro | *saleiru* |
| segundo | segundo | *segúndu* |
| servilleta | guardanapo | *guardanápu* |
| tenedor | garfo | *gárfu* |
| vaso de agua / vino | copo de água / vinho | *cópu dd água / víñu* |
| vinagreras | galheteiro | *galletéiru* |

**Para describir platos.** En Portugal no es difícil identificar los productos que nos presentan en la carta. Si tienes alguna dificultad, no dudes en preguntar a los camareros, que muy amablemente te explicarán en qué consisten los diferentes platos.

## Frases útiles para expresarte

| | |
|---|---|
| ¿Qué ingredientes tiene el «Bacalhau à Braz»? | Quais são os ingredientes do «Bacalhau à Braz»?<br>*Quaish sãu ush ingredientesh du bacallau a brash?* |
| ¿Es un plato frío / caliente / picante / con muchas calorías? | É um prato frio / quente / picante / com muitas calorias?<br>*É u(m) prátu friu / quéntt / picantt / com múi(n)tash caluríash?* |
| ¿Tienen algo más ligero? | Têm alguma coisa mais ligeira?<br>*Teiem algúma coissa maish ligeira?* |
| Quiero una ración / media ración | Queria uma dose / meia dose<br>*Quería úma dósse / méia dósse* |
| ¿Cómo se prepara este plato? | Como se prepara este prato?<br>*Cómu se prepára éshte prátu?* |
| No puedo comer picante | Não posso comer picante<br>*Nãu pósu cumér picántt* |

# 4 Comidas y bebidas

| | |
|---|---|
| Quiero la carne muy hecha / poco hecha | Queria a carne bem passada / mal passada<br>*Quería a carnn bãim pasáda / mál pasáda* |
| ¿Cuál es la guarnición? | Qual é a guarnição?<br>*Cuál é a guarnisãu?* |

## Palabras que puedes necesitar

| | | |
|---|---|---|
| caliente | quente | *quénte* |
| con sal / sin sal | com sal / sem sal | *com sal / sãim sal* |
| con gas / sin gas | com gás / sem gás | *com gásh / sãim gásh* |
| con muchas calorías | com muitas calorias | *com múi(n)tash caloríash* |
| crudo | cru | *cru* |
| frío | frio | *friu* |
| hecho | bem passado | *bãim pasádu* |
| ligero | ligeiro | *ligeiru* |
| picante | picante | *picántt* |
| plato | prato | *prátu* |

**Dietas o alergias.** Si estás a régimen o eres alérgico a determinados alimentos, puedes comunicarlo al camarero, para que en la cocina se evite la inclusión de dichos productos en el plato escogido.

## Frases útiles para expresarte

| | |
|---|---|
| Estoy a régimen / soy vegetariano | Estou a fazer dieta / sou vegetariano<br>*Eshtou a fassér diéta, sou vegetaríanu.* |
| Soy alérgico a la leche / al glúten / a las fresas / a los huevos | Sou alérgico ao leite / ao glúten / aos morangos / aos ovos<br>*Sou alérgicu au leite / au glutãim / aush murángush / aush óvush* |
| Debo comer sin sal | Devo comer sem sal<br>*Dévu cumér sãim sal* |
| De postre, querría un yogurt natural | De sobremesa, vou tomar um iogurte natural<br>*De subremέssa vou tumár u(m) iogurtt naturál* |
| ¿Tienen menú para vegetarianos / para diabéticos? | Têm ementa para vegetarianos / para diabéticos?<br>*Teiem iménta prá vegetariánush / prá diabéticush?* |

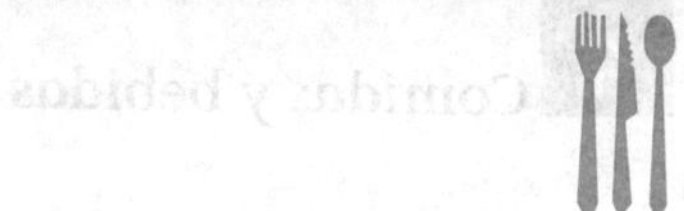

| | |
|---|---|
| No puedo comer carne de cerdo / pescado | Não posso comer carne de porco / peixe<br>*Nãu pósu cumár carnn dd pórcu / peishe* |
| Soy abstemio | Sou abstémio<br>*Sou abstémiu* |
| ¿Este plato tiene carne / huevos / pescado? | Este prato tem carne / ovos / peixe?<br>*Eshte prátu tãim carnn / óvush / peishe?* |
| ¿Tienen sacarina? | Têm adoçante?<br>*Teiem adusántt?* |
| Me gustaría tomar algo más simple | Gostava de tomar alguma coisa mais simples<br>*Gushtáva de tumár algúma coissa maish símplesh* |

## Palabras que puedes necesitar

| | | |
|---|---|---|
| abstemio | abstémio | *abstémiu* |
| aceite | azeite | *asseite* |
| alcohol | álcool | *álcool* |
| alergia | alergia | *alergía* |
| carnes | carnes | *cárnesh* |
| condimento | condimento | *cundiméntu* |
| dieta / régimen | dieta | *dieta* |
| farináceos | farináceos | *farináseush* |
| fermentos lácteos | fermentos lácteos | *fermentush láteush* |
| grasas | gorduras | *gurdúrash* |
| legumbres | leguminosas | *leguminossash* |
| sal | sal | *sal* |
| vinagre | vinagre | *vinágre* |
| yogurt | iogurte | *iogurtt* |

**Durante la comida**

## Frases útiles para expresarte

| | |
|---|---|
| ¿Podría traer más pan? | Podia trazer mais pão?<br>*Pudía trassér maish pãu?* |
| Faltan los cubiertos | Faltam os talheres<br>*Faltam ush talléresh* |

# 4 Comidas y bebidas

| | |
|---|---|
| ¿Podría traer otro cuchillo / vaso / tenedor / plato? | Podia trazer outra faca / outro copo / outro garfo / outro prato?<br>*Pudia trassér outra fáca / outru cópu / outru gárfu / outru prátu?* |
| Gracias, así está bien | Obrigado, está bem<br>*Ubrigádu eshtá bãim* |
| ¿Podría retirar estos platos / vasos? | Podia retirar estes pratos / copos?<br>*Pudía retirár eshtesh prátush / cópush?* |
| Perdone, pero este vaso / cubierto / plato está sucio | Desculpe, mas este copo / talher / prato está sujo<br>*Deshcúlpp mash eshte cópu / tallér / prátu eshtá súju* |
| Por favor, ¿podría traer un poco más de patatas / arroz / verdura / carne / pescado? | Por favor, podia trazer mais batatas / arroz / legumes / carne / peixe?<br>*Pur favór pudía trassér maish batatash / arrosh / legumesh / cárnn/ peishe?* |
| ¡Me gusta mucho! | Gosto muito!<br>*Góshtu múi(n)tu!* |
| Realmente, no me gusta | Realmente, não gosto nada<br>*Rrialmentt nãu góshtu náda* |
| La carne está demasiado cruda ¿Puede hacerla un poco más? | A carne está demasiado crua. Podia passá-la um pouco mais?<br>*A carnn eshtá demassiadu crúa. Pudía pasála u(m) pouco maish?* |
| Hace ya bastante que esperamos, ¿puede servirnos? | Há ja bastante que esperamos, podia servir-nos?<br>*Á já bashtántt que eshperámush, pudía servirnush?* |
| Perdone, no es este el plato que habíamos pedido | Desculpe mas este não é o prato que pedimos<br>*Deshcúlpp mash éshte nãu é u prátu que pedímush* |
| Queremos la ensalada sin aliñar | Queriamos a salada sem temperar<br>*Queríamush a saláda sãim temperár* |
| Me he manchado la camisa, ¿me puede traer un quitamanchas? | Sujei a camisa, podia trazer um tira-nódoas?<br>*Sujei a camíssa pudía trassér u(m) tíranóduash?* |
| El pescado no parece muy fresco | O peixe não parece muito fresco<br>*U peishe nãu parése múi(n)tu fréshcu.* |

## Lo que puedes oír

| | |
|---|---|
| Deseja mais alguma coisa? | ¿Desea algo más? |
| Todos os nossos pratos são realmente bons | Todos nuestros platos son verdaderamente estupendos |
| Aconselho-lhes que experimentem a especialidade da casa | Le recomiendo que pruebe la especialidad de la casa |
| Trago já outro prato / copo / garfo | Le traigo en seguida otro plato / vaso / tenedor |
| Aqui tem o seu prato | Aquí tiene su plato |
| Não se preocupe. Trago já o vinho | No se preocupe, ahora le traigo el vino |
| Lamento imenso! | ¡Lo siento muchísimo! |
| Deseja outra garrafa de vinho / água? | ¿Desea otra botella de vino / agua? |
| Querem água com o sem gás? | Quieren agua con o sin gas? |
| Não, não se pode | No, no se puede |

## Palabras que puedes necesitar

| | | |
|---|---|---|
| bandeja | travessa | *travésa* |
| botella | garrafa | *garráfa* |
| cenicero | cinzeiro | *sinsseiru* |
| copa | taça | *tása* |
| especialidad de la casa | especialidade da casa | *eshpesialidadd da cássa* |
| jarra | caneca | *canéca* |
| licor | licor | *licór* |
| primer / segundo plato | primeiro / segundo prato | *primeiru / segúndu prátu* |
| sacacorchos | saca-rolhas | *aácarrollash* |
| servilleta | guardanapo | *guardanápu* |
| sopera | sopeira | *supeira* |

## 4.3 Menu y carta

**Las especialidades de la cocina portuguesa.** La gastronomía portuguesa es muy rica y variada. Los portugueses suelen comenzar por unos aperitivos: aceitunas, embutidos, quesos de oveja o cabra, ensaladas de pulpo, jamón o, simplemente, pan y mantequilla. Tienen una gran variedad de sopas entre las que debemos destacar la *açorda alentejana* compuesta de pan, ajo, cilantro, aceite, huevo y agua o el conocidísimo *caldo verde*. Como ya dijimos, el pescado es parte fundamental en la gastronomía portuguesa, destacando *as sardinhas* en la época estival y el *bacalhau* en cualquier época del año.

# Comidas y bebidas

Tampoco debemos olvidar su marisco. La carne ocupa un lugar fundamental en la gastronomía portuguesa, especialmente en las regiones del interior: cerdo (con sus numerosos embutidos), cochinillo, vaca, cordero, pollo. Recomendamos el *cozido à portuguesa,* hecho con carne de cerdo, vaca y pollo, acompañados de arroz, patatas, nabos y legumbres. El cerdo también es parte fundamental de la *feijoada.* !

## Frases útiles para expresarte

| | |
|---|---|
| Ya hemos decidido, ¿podemos pedir? | **Já decidimos, podemos pedir?**<br>*Já desidímush, pudémush pedír?* |
| Queremos una ensalada mixta en el centro para compartir y una ración de calamares a la parrilla. De postre arroz con leche | **Queremos uma salada mista no centro para compartilhar e uma dose de lulas grelhadas. De sobremesa tomaremos arroz doce**<br>*Querémush úma salada mishta nu céntru i úma dósse de lulash grelládash. De subreméssa tumaremush arrosh dóse* |
| ¿Tienen la carta / la lista de vinos en español? | **Têm a ementa / a carta de vinhos em espanhol?**<br>*Teiem a iménta / a cárta de viñush ãim eshpañól?* |
| ¿Tienen menú del día? | **Têm a ementa do dia?**<br>*Teiem a iménta du día?* |
| ¿Qué tienen de postre? | **O que têm de sobremesa?**<br>*U que teiem de subreméssa?* |
| ¿Puede aconsejarme un plato típico? | **Podia aconselhar-me um prato típico?**<br>*Pudia aconsellármm u(m) prátu tipicu?* |
| ¿Cuál es la especialidad de la casa? | **Qual é a especialidade da casa?**<br>*Cuál é a eshpesialidadd da cássa?* |
| ¿La guarnición de los platos está incluida en el precio? | **A guarnição dos pratos está incluída no preço?**<br>*A guarnisãu dush prátush eshtá incluída nu présu?* |

Muchos platos tienen como base las especias llevadas al país por los navegantes en la época de los descubrimientos. Canela, pimienta, nuez moscada y curry son parte fundamental en la cocina portuguesa.

## Palabras que puedes necesitar

| aperitivo | aperitivo | *aperitívu* |
|---|---|---|
| arroz | arroz | *arrósh* |
| asado | assado | *asádu* |
| bebida alcohólica / sin alcohol | bebida com álcool / sem álcool | *bebída com álcool / sãim álcool* |
| bebida caliente / fría | bebida quente / fria | *bebida quénte / fría* |
| caldo | caldo | *caldu* |
| carne | carne | *cárnn* |
| carta de vinos | carta de vinhos | *cárta de viñush* |
| cena | jantar | *jantár* |
| cóctel | cocktail | *coqutail* |
| comida | comida | *cumída* |
| chorizo | chouriço | *chourísu* |
| chuleta | costeleta | *cushteléta* |
| croquetas | croquetes | *cruquétesh* |
| desayuno | pequeno-almoço | *piquenu-almósu* |
| embutidos | enchidos | *enshídush* |
| ensalada | salada | *saláda* |
| flan | pudim flã | *pudím flá* |
| guarnición | guarnição | *guarnisãu* |
| hígado | fígado | *fígadu* |
| huevo | ovo | *óvu* |
| mariscos | marisco | *maríshcu* |
| pasta | massa | *mása* |
| pescado | peixe | *peishe* |
| pinchos | espetada | *eshpetáda* |
| queso | queijo | *queiju* |
| ración | dose | *dósse* |
| refresco | refrigerante | *refrigerántt* |
| salchichas | salsichas | *salsishash* |
| sopa | sopa | *sópa* |
| tarta | tarte | *tartt* |
| tortilla | omeleta | *umeléta* |
| verduras | legumes | *legumesh* |

**Los postres.** Los dulces son muy variados, destacan el *pudim flã, molotoff* (parecido al flan pero menos consistente y de mayor tamaño, que se sirve en porciones), dulce de huevos, pastel de galletas, etc.

# 4 Comidas y bebidas

## Palabras que puedes necesitar

| | | |
|---|---|---|
| bizcocho | biscoito | *bishcoitu* |
| brioche | brioche | *briosh* |
| compota | compota | *compóta* |
| crema | creme | *crémm* |
| crema pastelera | nata | *náta* |
| crêpe | crêpe | *crépp* |
| croissant | croissant | *cruasã* |
| fruta confitada | fruta confeitada | *frúta confeitáda* |
| galleta | bolacha | *bulásha* |
| helado | gelado | *geládu* |
| macedonia | salada de frutas | *saláda de frutash* |
| merengue | merengue | *meréngue* |
| nata | natas | *nátash* |
| pastel / dulce | bolo / doce | *bólu / dóse* |
| queso blanco | queijo branco | *queiju bráncu* |
| tarta | tarte | *tartt* |

## 4.4 Alimentos y bebidas

### Verduras, carnes, pescados, arroz...

## Palabras que puedes necesitar

| **Verduras y legumbres** | | |
|---|---|---|
| ajo | alho | *állu* |
| alcachofa | alcachofra | *alcashófra* |
| apio | aipo | *aipu* |
| berenjena | beringela | *beringéla* |
| calabacines | abobrinhas | *abobríñash* |
| calabaza | abóbora | *abóbura* |
| cebolla | cebola | *sebóla* |
| col | couve | *couve* |
| coliflor | couve-flor | *couve-flor* |
| ensalada | salada | *saláda* |
| espárrago | espargo | *eshpárgu* |
| espinacas | espinafres | *eshpinafresh* |
| guisante | ervilha | *irvílla* |
| haba | fava | *fáva* |

| hinojo | funcho | *fúnsho* |
|---|---|---|
| judía | feijão | *feijãu* |
| lechuga | alface | *alfás* |
| legumbre | leguminosa | *leguminósa* |
| lenteja | lentilha | *lentílla* |
| patata | batata | *batáta* |
| pepino | pepino | *pepínu* |
| pimiento | pimento | *piméntu* |
| puerro | alho-porro | *állu-pórru* |
| seta | cogumelo | *cuguméIu* |
| tomate | tomate | *tumáte* |
| zanahoria | cenoura | *senoura* |
| **Pescados** | | |
| almeja | amêijoa | *ameijua* |
| anchoa | enchova | *ãimshova* |
| anguila | enguia | *ãimguía* |
| arenque | arenque | *arénque* |
| atún | atum | *atúm* |
| calamar | lula | *lúla* |
| cangrejo | caranguejo | *carangueiju* |
| carpa | carpa | *cárpa* |
| cigalas | lagostins | *lagoshtíns* |
| dorada | dourada | *dourráda* |
| gamba | camarão | *camarãu* |
| langosta | lagosta | *lagóshta* |
| langostino | gamba grande | *gámba grándd* |
| lenguado | linguado | *linguádu* |
| mariscos | mariscos | *maríshcush* |
| mejillón | mexilhão | *meshillãu* |
| merluza | pescada | *peshcáda* |
| molusco | molusco | *molúshcu* |
| pez espada | espadarte | *eshpadárte* |
| pulpo | polvo | *pólvu* |
| rape | tamboril | *tamburíl* |
| róbalo | robalo | *rubálu* |
| salmón | salmão | *salmãu* |
| salmonete | salmonete | *salmunéte* |
| sardina | sardinha | *sardíña* |
| sepia | choco | *shócu* |
| trucha | truta | *trúta* |

# 4 Comidas y bebidas

| **Carnes** | | |
|---|---|---|
| buey | boi | *bói* |
| cerdo | porco | *pórcu* |
| conejo | coelho | *cuéllu* |
| cordero | carneiro | *burrégu* |
| faisán | faisão | *faisãu* |
| gallina | galinha | *galíña* |
| gallo | galo | *gálu* |
| jabalí | javali | *javalí* |
| liebre | lebre | *lébre* |
| pato | pato | *pátu* |
| pavo | peru | *perú* |
| pollo | frango | *frángu* |
| ternera | vitela | *vitéla* |
| **Frutas** | | |
| albaricoque | alperce / damasco | *alpérss / damáshcu* |
| almendra | amêndoa | *améndua* |
| arándano | arando | *arándu* |
| avellana | avelã | *avelá* |
| castaña | castanha | *cáshtaña* |
| cereza | cereija | *sereija* |
| ciruela | ameixa | *ameisha* |
| frambuesa | framboesa | *frambuessa* |
| fresa | morango | *murángu* |
| grosella | groselha | *grosélla* |
| higo | figo | *fígu* |
| kiwi | kiwi | *quívi* |
| limón | limão | *limãu* |
| mandarina | tangerina | *tangerína* |
| manzana | maçã | *masá* |
| melocotón | pêssego | *pésegu* |
| melón | melão | *melãu* |
| mora | amora | *amóra* |
| naranja | laranja | *laránja* |
| nuez | noz | *nósh* |
| pera | pêra | *péra* |
| piña | ananás | *ananásh* |
| plátano | banana | *banána* |
| pomelo | toranja | *turánja* |
| sandía | melancia | *melansía* |
| uva | uva | *úva* |

**Bebidas.** Además de los vinos con fama internacional como el Oporto, el Madeira o el Vinho Verde, existen otras variedades nada desdeñables como el tinto de Borba o Ribatejo o los blancos de Dão o Bairrada.

## Palabras que puedes necesitar

| | | |
|---|---|---|
| agua mineral natural /<br>con gas | água mineral natural /<br>com gás | *água minerál maturál /*<br>*com gásh* |
| anís | anis | *anísh* |
| bebida alcohólica /<br>sin alcohol | bebida com álcool /<br>sem álcool | *bebída com álcool /*<br>*sãim álcool* |
| café con leche | café com leite | *café com leite* |
| café cortado | pingado | *pingádu* |
| café con licor / exprés /<br>descafeinado / largo | café com licor / italiana /<br>descafeinado / carioca | *café com licór/ italiana /*<br>*deshcafeinádu / carioca* |
| café solo | bica | *Bíca* |
| camomila / manzanilla | camomila | *camumíla* |
| cava | espumante | *eshpumante* |
| cerveza (caña) /<br>negra / en lata /<br>en botella | cerveja (imperial) /<br>preta / em lata /<br>em garrafa | *Serveija (imperiál) /*<br>*préta / ãim láta /*<br>*ãim garráfa* |
| chocolate | chocolate | *shuculátt* |
| coñac | conhaque | *cuñáque* |
| gaseosa | gasosa | *Gassóssa* |
| gin | gin | *Gin* |
| lata | lata | *Láta* |
| leche | leite | *leite* |
| licor | licor | *licór* |
| limonada | limonada | *limunáda* |
| naranjada | laranjada | *laranjáda* |
| sidra | sidra | *Sidra* |
| té con limón / con leche | chá de limão / com leite | *shá de limãu / com leite* |
| tónica | água tónica | *água tónica* |
| vino blanco / tinto /<br>rosado / dulce / seco | vinho branco / tinto /<br>rosé / doce / seco | *víñu brancu / tíntu /*<br>*rosé / dóse / sécu* |
| whisky | uísque | *uísque* |
| zumo de fruta /<br>de piña / de naranja /<br>de manzana /<br>de albaricoque /<br>de tomate | sumo de fruta /<br>de ananás / de laranja /<br>de maçã /<br>de alperce /<br>de tomate | *súmu dd frúta /*<br>*dd ananásh / dd laránja /*<br>*dd masá /*<br>*dd alperss /*<br>*dd tumátt* |

## 4.5 Preparación y condimentos

■ **¿Cómo está hecho? ¿Qué salsa lleva?**

### Palabras que puedes necesitar

| | | |
|---|---|---|
| **Preparación** | | |
| a la brasa | na brasa | *na brássa* |
| a la plancha | na chapa | *na shápa* |
| a la parrilla | grelhado | *grelládu* |
| ahumado | fumado | *fumádu* |
| al horno | no forno | *nu fórnu* |
| al vapor | ao vapor | *au vapór* |
| asado | assado | *asádu* |
| baño maría | banho-maria | *bañu maría* |
| congelado | congelado | *congeládu* |
| crudo | cru | *cru* |
| empanado | panado | *panádu* |
| en sartén | na frigideira | *na frigideira* |
| estofado | estufado | *eshtufádu* |
| fresco | fresco | *fréshcu* |
| frito | frito | *fritu* |
| guisado | guisado | *guissádu* |
| hecho | passado | *pasádu* |
| muy hecho | bem passado | *bem pasádu* |
| poco hecho | mal passado | *mal pasádu* |
| cocido | cozido | *cussídu* |
| marinado | marinado | *marinádu* |
| relleno | recheado | *rresheádu* |
| salteado | salteado | *saltiádu* |
| **Condimentos** | | |
| aceite de girasol | óleo de girassol | *óliu dd girasól* |
| aceite de oliva | azeite | *asseitt* |
| agua de naranja | água de laranja | *água dd laránja* |
| ajo | alho | *állu* |
| albahaca | manjerico | *manjerícu* |
| azafrán | açafrão | *asafrãu* |
| azúcar | açúcar | *asúcar* |
| besamel | bechamel | *beshamél* |
| canela | canela | *canéla* |
| cilantro | coentros | *cuentrush* |
| comino | cominho | *cumíñu* |
| guindilla | malagueta | *malaguéta* |

| | | |
|---|---|---|
| ketchup | ketchup | *quetshup* |
| laurel | louro | *louru* |
| mantequilla | manteiga | *manteiga* |
| margarina | margarina | *margarína* |
| mayonesa | maionese | *maionésse* |
| menta | hortelã | *ortelá* |
| mostaza (planta) | mostarda (planta) | *mushtárda (planta)* |
| mostaza (salsa) | mostarda (molho) | *mushtárda (móllu)* |
| nata | natas | *nátash* |
| nuez moscada | noz-moscada | *nosh mushcada* |
| orégano | oregos | *urégush* |
| perejil | salsa | *sálssa* |
| pimentón | pimentão / colorau | *pimentãu / culurau* |
| pimienta | pimenta | *piménta* |
| romero | alecrim | *alecrím* |
| sal | sal | *sal* |
| salvia | sálvia | *sálvia* |
| tomillo | tomilho | *tumíllu* |
| vinagre | vinagre | *vinágre* |
| vinagreta | vinagrete | *vinagrétt* |

## 4.6 La cuenta y reclamaciones

**Pedir la cuenta.** Es costumbre dejar una pequeña propina (*gorjeta*) en los restaurantes cuando el servicio no está incluido en la cuenta. El IVA aplicado en este tipo de servicios es del 12 %. !

### Frases útiles para expresarte

| | |
|---|---|
| La cuenta, por favor | A conta , faz favor<br>*A cónta fash favór* |
| Perdone, pero hay un error en la cuenta | Desculpe mas há um erro na conta<br>*Deshcúlpp mash á u(m) érru na cónta.* |
| ¿El servicio está incluido en el precio? | O serviço é incluído no preço?<br>*U servísu é incluídu un présu?* |
| Muchas gracias. Quédese con el cambio | Obrigada, fique com o troco<br>*Ubrigáda, fique com u trócu* |

También hay que decir que no todos los establecimientos aceptan tarjetas de crédito, asegúrate antes.

# 4 Comidas y bebidas

| | |
|---|---|
| ¿Aceptan tarjeta de crédito? | **Aceitam cartão de crédito?**<br>*Aseitam cartãu dd créditu?* |
| Perdone, pero no hemos pedido este plato | **Desculpe mas não pedimos esse prato**<br>*Deshcúlpp mash não pedímush esse prátu* |
| Perdone, pero la carne está cruda / el pescado no está fresco / la ensalada está sucia / el pan está duro / el yogourt está ácido | **Desculpe mas a carne está crua / o peixe não é fresco / a salada está suja / o pão está duro / o iogurte está azedo**<br>*Deshcúlpp mash a cárnn eshtá crúa / u peishe nãu é fréshcu / a saláda eshtá súja / o pãu eshtá dúru / u iugurtt eshtá assédu* |
| Yo había pedido calamares, no chuletas | **Desculpe mas eu pedi lulas e não costeletas**<br>*Deshcúlpp mash eu pedí lúlash i nãu coshtelétash* |
| ¿Podría hablar con el propietario? | **Podia falar com o dono?**<br>*Pudía falár com u dónu?* |
| Las raciones son demasiado pequeñas | **As doses são demasiado pequenas**<br>*Ash dóssesh sãu demassiádu péquenash* |
| Este vino no es muy bueno ¿Podría traer otro mejor? | **Este vinho não é muito bom. Podia trazer outro melhor?**<br>*Eshte víñu nãu é múi(n)tu bom. Pudía trassér outru mellór?* |
| Hay un insecto en el plato | **Há um insecto no prato**<br>*Á u(m) insétu nu prátu* |
| El camarero no es muy profesional | **O empregado de mesa não é muito profissional**<br>*U empregádu dd méssa nãu é múi(n)tu prufisiunál* |
| Había pedido media ración, no una entera | **Pedi meia dose, não uma dose**<br>*Pedí méia dósse nãu úma dósse* |
| Felicitaciones para el cocinero | **Parabéns para o cozinheiro**<br>*Parabãins prá u cussiñéiru* |
| Estamos muy contentos con el servicio | **Ficamos muito contentes com o serviço**<br>*Ficamush múi(n)tu contentesh com u servísu* |
| ¿Tienen hojas de reclamaciones? | **Têm livro de reclamações?**<br>*Teiem lívru de reclamasóesh?* |

## Lo que puedes oír

| | |
|---|---|
| Lamento mas não aceitamos cartão de crédito | Lo siento pero no aceptamos tarjeta de crédito |
| Por favor, paguem na caixa | Por favor, paguen en la caja |
| Gostam? | ¿Les agrada? |
| Gostaram do peixe / da carne / da tarte? | ¿Les ha gustado el pescado / la carne / la tarta? |
| Obrigado pela gorjeta | Muchas gracias por la propina |
| Lamento imenso. Vou trazer imediatamente outro vinho / outro prato | Lo siento mucho, traeré inmediatamente otro vino / otro plato |
| Deseja mais um bocadinho de molho / peixe / carne / salada? | ¿Quiere un poco más de salsa / pescado / carne / ensalada? |
| Posso garantir que este peixe é muito fresco | Puedo garantizarle que este pescado está fresquísimo |
| É um presente da casa | Es un obsequio de la casa |

# Turismo y compras 5

El país está dividido en seis regiones turísticas a las que hay que añadir las islas de Madeira y Azores. Junto a la zona turística tradicional de Estoril en la Costa de Lisboa, la propia Lisboa y el Algarve aparecen como los destinos más frecuentados por el turismo internacional. Se puede obtener información útil en los Postos de Turismo existentes en las principales ciudades. El horario comercial se extiende entre las 9.00 y las 19.00 hrs., si bien algunas tiendas cierran entre las 13.00 y las 15.00. Los grandes centros comerciales tienen un horario de 10.00 a 23.00 incluso los domingos. !



! Visita los mercados o *feiras* que se celebran un día a la semana. Es una buena oportunidad para comprar artesanía y productos locales. Si visitas Lisboa, no debes perderte la Feira da Ladra en el barrio de Alfama donde puedes encontrar todo tipo de artículos nuevos y de segunda mano. Se instala todos los martes y sábados de 7.30 de la mañana hasta las 13.00 horas.

# 5 Turismo y compras

## 5.1 Oficina de turismo

**Buscando información turística.** En los ***Postos de Turismo,*** que se encuentran en las principales zonas turísticas y grandes ciudades, podrás tener acceso a todo tipo de información que puedas necesitar sobre monumentos, museos, hoteles, recorridos, transportes, bancos, tiendas, etc. En algunos, se pueden vender incluso entradas para determinados espectáculos. Muy amablemente te facilitarán planos, mapas, y folletos de los lugares que desees visitar. En las zonas de gran afluencia turística, suelen abrir todos los días, coincidiendo normalmente con el horario comercial. En zonas menos frecuentadas, pueden cerrar los fines de semana.

### Frases útiles para expresarte

| | |
|---|---|
| ¿Dónde está el *Posto de Turismo*? | Onde é o Posto de Turismo?<br>*Óndd é u poshtu dd turishmu?* |
| ¿Podría darme un mapa / una guía turística de la ciudad? | Podia dar-me um mapa / um guia turístico da cidade?<br>*Pudía darmm u(m) mapa / u(m) guia turíshticu da sidádd?* |
| ¿Qué nos aconseja visitar? | O que nos aconselha visitar?<br>*U que nush acunsélla vissitár?* |
| ¿Tienen una guía / un folleto en español? | Têm um guia / um folheto em espanhol?<br>*Teiem u(m) guía / u(m) fullétu ãim eshpañól?* |
| ¿Puede aconsejarme un recorrido para realizar en un solo día? | Podia aconselhar-me um percurso para realizar num só dia?<br>*Pudía aconsellárnush u(m) percúrso prá realissár* |
| ¿Cuáles son los monumentos más importantes de la ciudad? | Quais são os monumentos mais importantes da cidade?<br>*Cuaish sãu ush monumentush maish impurtántesh da sidádd?* |
| ¿Cómo se va al castillo / al museo / a la playa? | Como posso ir ao castelo / museu / à praia?<br>*Cómu pósu ir au cashtélu / musséu / á práia?* |
| ¿Organizan visitas guiadas? | Organizam visitas guiadas?<br>*Urganíssam vissítash guiádash?* |
| ¿Cuánto cuesta una visita guiada? | Quanto custa uma visita guiada?<br>*Cuántu cúshta úma vissíta guiáda?* |

| | |
|---|---|
| ¿Se hacen descuentos para niños / para grupos? | Fazem-se descontos para crianças / para grupos?<br>*Fássemss deshcóntush prá criánsash / prá grupush?* |
| ¿Hasta cuándo dura la muestra? | Até quando dura a mostra?<br>*Até cuándu dúra a moshtra?* |
| ¿A qué siglo se remonta la Catedral? | Quando foi construída a Sé?<br>*Cuándu fói conshtruída a Sé?* |
| ¿Me da un listado de las casas en alquiler? | Podia dar-me uma lista das vivendas de aluguer?<br>*Pudía dármm úma lísta dash vivéndash ãim aluguér?* |
| ¿Hay servicios para discapacitados? | Há serviços para deficientes físicos?<br>*Á servísush prá deficientes físsicush?* |
| ¿Hay fiestas tradicionales? | Há festas populares?<br>*Á féshtash pupuláresh?* |
| ¿Me puede aconsejar algún libro sobre el folclore local? | Podia aconselhar-me algum livro sobre o folclore local?<br>*Pudia acunsellármm algúm lívru sóbre u folclór lucál?* |

## Lo que puedes oír

| | |
|---|---|
| Posso ajudá-lo? | ¿En qué puedo ayudarlo? |
| Fique com as plantas, são grátis | Quédeselo, los mapas son gratis |
| Pode ir até a Sé de autocarro | Puede ir a la Catedral en autobús |
| Os museus hoje estão fechados | Los museos hoy están cerrados |
| No museu é proibido tirar fotos | En el museo está prohibido hacer fotos |
| Não se faz descontos a grupos | No se hacen descuentos a grupos |
| Aconselho-lhe que visite o centro histórico | Le aconsejo que visite el centro histórico |
| O preço da excursão é de dez euros por pessoa | El precio de la excursión es de diez euros por persona |
| A excursão começa às nove da manhã e termina às oito da tarde | La excursión comienza a las nueve de la mañana y termina a las ocho de la tarde |
| Na livraria do centro há muitos livros de história local | En la librería del centro, hay muchos libros sobre la historia local |

## Palabras que puedes necesitar

| | | |
|---|---|---|
| abadía | abadia | *abadía* |
| anfiteatro | anfiteatro | *anfitiátru* |

# 5 Turismo y compras

| | | |
|---|---|---|
| arco | arco | *árcu* |
| arqueología | arqueologia | *arquiulugía* |
| arquitectura | arquitectura | *arquitetúra* |
| arte | arte | *ártt* |
| artesanía | artesanato | *artessanátu* |
| ayuntamiento | câmara municipal | *cámara munisipál* |
| basílica | basílica | *bassílica* |
| calle | rua | *rrúa* |
| campanario | torre sineira | *tórre sinéira* |
| capilla | capela | *capéla* |
| capitel | capitel | *capitél* |
| castillo | castelo | *cashtélu* |
| catedral | sé / catedral | *sé / catedrál* |
| cementerio | cemitério | *semitériu* |
| cenáculo | cenáculo | *senáculu* |
| centro histórico | centro histórico | *sentru ishtóricu* |
| cine | cinema | *sinéma* |
| ciudad | cidade | *sidádd* |
| claustro | claustro | *claúshtru* |
| columna | coluna | *culúna* |
| convento | convento | *cunvéntu* |
| cripta | cripta | *críta* |
| cúpula | cúpula | *cúpula* |
| excavaciones | excavações | *eshcavasóesh* |
| arqueológicas | arqueológicas | *arquiulógicash* |
| fachada | fachada | *fasháda* |
| feria | feira | *feira* |
| fortaleza | fortaleza | *furtaléssa* |
| fresco | fresco | *fréshcu* |
| fuente | fonte | *fóntt* |
| galería | galeria | *galería* |
| iglesia | igreja | *igréja* |
| jardín | jardim | *jardím* |
| lago | lago | *lágu* |
| mapa / plano | mapa / planta | *mápa / plánta* |
| mercado | mercado | *mercádu* |
| mezquita | mesquita | *meshquíta* |
| monasterio | mosteiro | *moshteiru* |
| monumento | monumento | *munuméntu* |
| mosaico | mosaico | *mussaícu* |
| muestra | mostra | *móshtra* |
| museo | museu | *musséu* |

| observatorio | observatório | *ubservatóriu* |
|---|---|---|
| oficina de información | posto de informação | *póshtu dd infurmasãu* |
| paisaje | paisagem | *paissájãim* |
| palacio | palácio | *palásiu* |
| parque | parque | *parque* |
| pintura | pintura | *pintúra* |
| plaza | praça | *prása* |
| pórtico | pórtico | *pórticu* |
| puente | ponte | *pónt t* |
| río | rio | *ríu* |
| rosetón | rosácea | *russácia* |
| sinagoga | sinagoga | *sinagóga* |
| teatro | teatro | *tiátru* |
| termas | termas | *térmash* |
| torre | torre | *tórre* |
| visita guiada | visita guiada | *vissíta guiáda* |
| zoo | jardim zoológico | *jardím suulógicu* |

## 5.2 Visitas turísticas

**Preparar las visitas turísticas.** El horario de museos es de 10.00 a 17.00 horas de martes a domingo. No obstante, consulta en algún *Posto de Turismo* por si la visita de tu interés tiene horarios especiales. Hay descuentos para la tercera edad, menores de 14 años y menores de 26 con *Cartão Jovem.* Las iglesias más importantes pueden visitarse durante la mayor parte del día, aunque es preferible no hacerlo durante la celebración de oficios religiosos.

### Frases útiles para expresarte

| | |
|---|---|
| ¿A qué hora abren los museos? | A que horas abrem os museus?<br>*A que órash abrãim ush musséush?* |
| ¿Cuánto cuesta la entrada? | Quanto custa o bilhete?<br>*Cuántu cúshta u billet?* |
| ¿A qué hora comienza / termina la visita? | A que horas começa / termina a visita?<br>*A qui órash cumésa / termína a vissíta?* |
| ¿Se organizan visitas guidadas en español? | Organizam-se visitas guiadas em espanhol?<br>*Urganíssamss vissítash guiádash ãim eshpañól?* |
| ¿Se podría contactar con un guía turístico? | Podia contactar um guia turístico?<br>*Pudía contátar u(m) guía turíshticu?* |

# 5 Turismo y compras

| | |
|---|---|
| ¿Cuánto cuesta / dura la visita a la abadía? | **Quanto custa / dura a visita à abadia?** *Cuántu cúshta / dúra a vissíta a abadía?* |
| Me apetecería visitar la muestra permanente / temporal | **Apetecia-me visitar a mostra permanente / temporária** *Apetesiamm vissitár a móshtra permanéntt / temporária* |

■ **Durante la visita**

## Frases útiles para expresarte

| | |
|---|---|
| ¿Hay un guía turístico que hable español? | **Há um guia turístico que fale espanhol?** *Á u(m) guía turíshticu que fále eshpañól?* |
| Por favor, ¿puede repetir? | **Por favor, podia repetir?** *Pur favór pudía rrepetír?* |
| Por favor, ¿puede hablar más despacio? | **Por favor, pode falar mais devagar?** *Pur favór póde falár maish devagár?* |
| Querría comprar un catálogo de la muestra | **Queria comprar um catálogo da mostra** *Quería cumprár u(m) catálugu da móshtra* |
| ¿Está prohibido hacer fotos con flash en la Catedral? | **É proibido tirar fotos com flash na Sé?** *É proibídu tirár fótush com flash na Sé?* |
| ¿Dónde se pueden comprar postales? | **Onde posso comprar bilhetes postais?** *Óndd póssu comprár billétsh pustáish?* |
| ¿Dónde están las pinturas de Gonçalves? | **Onde estão as pinturas de Gonçalves?** *Óndd eshtãu ash pinturash dd gonsálvesh?* |
| ¿De qué periodo es este cuadro / esta estatua? | **De que período é este quadro / esta estátua?** *De qué períudu é eshte cuádru / éshta eshtátua?* |

## Palabras que puedes necesitar

| | | |
|---|---|---|
| cuadro | **quadro** | *cuádru* |
| descuento | **desconto** | *deshcóntu* |
| estatua | **estátua** | *eshtátua* |
| grupo | **grupo** | *grúpu* |
| guía | **guia** | *guía* |

| | | |
|---|---|---|
| máquina fotográfica | **máquina fotográfica** | *máquina futugráfica* |
| muestra | **mostra** | *móshtra* |
| obra maestra | **obra prima** | *óbra príma* |
| tiquet de entrada | **bilhete** | *billétt* |

## 5.3 De compras

### En la tiendas

### Frases útiles para expresarte

| | |
|---|---|
| Perdone, busco una tienda donde comprar un souvenir | **Desculpe, estou à procura de uma loja para comprar uma lembrança** *Deshcúlpp eshtou a prucúra dd úma lója prá cumprár úma lembránsa* |
| ¿Hay un supermercado / hipermercado por aquí cerca? | **Há um supermercado / hipermercado aqui perto?** *Á u(m) supermercádu / hipermercádu aquí pértu?* |
| ¿Dónde está la sección de ropa y complementos? | **Onde é a secção de roupa e complementos?** *Ónddé é á secsãu roupa i cumplementush?* |
| ¿Me puede indicar una tienda de cerámica? | **Podia indicar-me uma loja de cerâmica?** *Pudía indicármm úma lója dd serámica?* |
| ¿Me puede indicar una tienda que esté de rebajas? | **Podia indicar-me uma loja onde hajam saldos?** *Pudia indicármm úma lója óndd ájam sáldush?* |
| ¿Puedo echarle una ojeada? | **Posso ver?** *Pósu vér?* |
| ¿Me puede hacer algo de descuento? | **Podem fazer um desconto?** *Pódem fassér u(m) deshcóntu?* |
| Querría productos típicos de esta zona | **Queria produtos típicos desta zona** *Quería prudutush típicush déshta sóna* |
| ¿Cuánto cuesta esta cerámica / este jarrón? | **Quanto custa esta cerâmica / este jarro?** *Cuántu cushta éshta serámica / éshte járru?* |

# 5 Turismo y compras

| | |
|---|---|
| ¿Puedo pagar con la tarjeta de crédito? | Posso pagar com cartão de crédito?<br>*Pósu pagár com cartãu dd créditu?* |
| ¿Realizan envíos también para el extranjero? | Também realizam envios para o estrangeiro?<br>*Tambãim rrealíssam envíush prá u estrangeiru?* |
| ¿Este producto tiene garantía? | Este artigo tem garantia?<br>*Éshte artígu tãim garantía?* |
| Querría comprar esto | Queria comprar isto<br>*Quería cumprár íshtu* |
| Así basta, gracias | É suficiente, obrigado<br>*É sufisiéntt, ubrigádu* |
| No me ha dado la vuelta | Não me deu o troco<br>*Nãu me déu u trócu* |
| ¿Puede escribirme el precio? | Podia escrever o preço?<br>*Podía eshcrevér ou présu?* |
| Querría algo más barato | Queria alguma coisa mais barata<br>*Quería algúma coissa maish baráta* |
| ¿Me hace una factura? | Podia fazer-me uma factura?<br>*Pudía fassérmm úma fatúra?* |
| Por favor ¿me da una bolsa de plástico? | Por favor, podia dar-me um saquinho?<br>*Pur favór pudía darmm u[m] saquíñu?* |
| Por favor ¿me lo puede envolver? | Por favor, podia embrulhá-lo?<br>*Pur favór, podía embrullá-lo?* |
| ¿A qué hora abre / cierra esta tienda? | A que horas abre / fecha esta loja?<br>*A qui órash ábre / fésha éshta lója?* |

## Lo que puedes oír

| | |
|---|---|
| Posso ajudá-lo? | ¿En qué le puedo ayudar? |
| Deseja mais alguma coisa? | ¿Desea alguna otra cosa? |
| Isto é mais barato | Esto es más barato |
| Por favor, pode ver tranquilamente | Por favor, mire tranquilamente |
| Lamento, acabaram-se | Lo siento, se han acabado |
| Por favor, pague na caixa | Por favor, pague en la caja |
| Não aceitamos moeda estrangeira | No aceptamos moneda extranjera |
| Só aceitamos pagamento em dinheiro | Aceptamos solo pago en efectivo |
| Abrimos às 9.00 e fechamos às 20.00. | Abrimos a las 9.00 y cerramos a las 20.00 |
| Estamos abertos o dia todo | Estamos abiertos todo el día |

## Palabras que puedes necesitar

| | | |
|---|---|---|
| abierto | aberto | *abértu* |
| alimentación | alimentação | *alimentasãu* |
| almacén | armazém | *armassãim* |
| artículos de regalo / deportivos | presentes / desportivos | *preséntesh / deshpurtívush* |
| caja | caixa | *caisha* |
| carnicería | talho | *tállu* |
| caro | caro | *cáru* |
| carrito | carrinho | *carríñu* |
| centro comercial | centro comercial | *séntru cumersiál* |
| cerrado | fechado | *feshádu* |
| dependiente /-a | empregado/-a | *empregádu* |
| droguería | drogaria | *drugaría* |
| económico / barato | económico / barato | *icunómicu* |
| estanco | tabacaria | *tabacaría* |
| factura | factura | *fatúra* |
| farmacia | farmácia | *farmásia* |
| ferretería | loja de ferragens | *lója dd ferrájãins* |
| florista | florista | *fluríshta* |
| fotógrafo | fotógrafo | *futógrafu* |
| frutería | frutaria | *frutaría* |
| heladería | gelataria | *gelataría* |
| hipermercado | hipermercado | *ipermercádu* |
| joyería | ouriversaria | *ouriversaría* |
| lavandería | lavandaria | *lavandaría* |
| lechería | leiteria | *leitería* |
| librería | livraria | *livraría* |
| mercado | mercado | *mercádu* |
| oferta | oferta | *uférta* |
| oficina de correos | estação de correios | *eshtasãu dd curréiush* |
| panadería | padaria | *padaría* |
| pastelería | pastelaria | *pashtelaría* |
| peluquería | cabeleireiro | *cabeleireiru* |
| peluquero | cabeleireiro | *cabeleireiru* |
| perfumería | perfumaria | *perfumaria* |
| pescadería | peixaria | *peisharía* |
| quiosco | quiosque | *quióshqu* |
| rebajas | saldos | *sáldush* |
| ropa y complementos | roupa e complemetos | *roupa i cumpleméntush* |
| supermercado | supermercado | *supermercádu* |
| zapatería | sapataria | *sapataría* |

## 5.4 Servicios y tiendas

**En el banco.** Los bancos abren de 8.30 a 15.00 horas de lunes a viernes, aunque es posible encontrar oficinas que abren hasta las 18.00 en las ciudades y zonas turísticas.

### Frases útiles para expresarte

| | |
|---|---|
| Perdone, ¿hay un banco por aquí cerca? | **Desculpe, há um banco aqui perto?**<br>*Deshcúlpp á u(m) báncu aquí pértu?* |
| ¿A qué hora abre aquel banco? | **A que horas abre aquele banco?**<br>*A qui órash abre aquéle báncu?* |
| Querría sacar dinero | **Queria levantar dinheiro**<br>*Quería levantár dinheiru* |
| ¿Puedo ingresar dinero en mi cuenta corriente? | **Podia depositar dinheiro na minha conta corrente?**<br>*Pudía depussitár diñéiru na míña cónta curréntt?* |
| ¿Puedo cambiar esta moneda extranjera en euros? | **Podia trocar esta moeda estrangeira em euros?**<br>*Podía trucar eshta muéda eshtrangéira ãim eurush?* |
| Querría cobrar este cheque al portador. | **Queria cobrar este cheque ao portador**<br>*Quería cubrár éshte shéque ao purtadór* |
| ¿Puedo abrir una cuenta corriente en su banco? | **Podia abrir uma conta corrente no seu banco?**<br>*Pudia abrír úma cónta curréntt nu seu báncu?* |
| Querría cambiar trescientos euros en libras esterlinas | **Queria trocar trezentos euros em libras esterlinas**<br>*Quería trucár tresséntush eurush ãim librash eshterínash* |
| ¿Podría dármelo en billetes pequeños / grandes? | **Podia dar-mo em notas pequenas / grandes?**<br>*Pudía dármu ãim nótash piquénash / grándesh?* |
| ¿Puedo sacar dinero con mi tarjeta de crédito? | **Posso levantar dinheiro com o meu cartão de crédito?**<br>*Pósu levantár diñeiru com u meu cartãu dd créditu?* |

| | |
|---|---|
| ¿Cuánto se llevan de comisión? | Qual é a comissão?<br>*Cuál é a cumisãu?* |
| Necesitaría encontrar un cajero automático | Precisava encontrar um Multibanco<br>*Presissáva incuntrár úm multibáncu* |
| ¿Dónde puedo cambiar estos traveller's checks? | Onde posso trocar estes cheques de viagem?<br>*Óndd pósu trucár eshtesh shequesh dd viajãim?* |
| ¿Puede ayudarme a rellenar este formulario para realizar una transferencia? | Podia ajudar-me a preencher este formulário para realizar uma transferência?<br>*Pudía ajudármm a prienshér éshte furmuláriu prá realissár úma transhferénsia?* |

## Lo que puedes oír

| | |
|---|---|
| O que deseja? | ¿Qué desea? |
| Preencha este formulário, se faz favor | Rellene este formulario, por favor |
| Apenas concedemos cartões de crédito aos clientes do nosso banco | Concedemos tarjetas de crédito solo a los clientes de nuestro banco |
| Assine aqui | Firme aquí |
| Quer em notas pequenas? | ¿Lo quiere en billetes pequeños? |
| Lamento imenso, mas aqui não trocamos moeda estrangeira | Lo siento, aquí no cambiamos moneda extranjera |
| Dê-me o passaporte ou o Bilhete de Identidade | Deme el pasaporte o el carnet de identidad |
| Para trocar moeda estrangeira, por favor vá àquele balcão | Para cambiar moneda extranjera, vaya a aquel mostrador |
| Qual é o seu número de conta? | ¿Cuál es su número de cuenta? |
| Desculpe mas o senhor não tem crédito | Disculpe, usted no dispone de crédito |

## Lo que puedes ver

| | |
|---|---|
| Aberto | Abierto |
| Banco | Banco |
| Caixa | Caja |
| Fechado | Cerrado |
| Balcão | Mostrador |

# 5 Turismo y compras

## Palabras que puedes necesitar

| | | |
|---|---|---|
| billete | nota | *nóta* |
| cajero automático | multibanco | *multibáncu* |
| cambio | troco | *trócu* |
| cheque | cheque | *shéqu* |
| cobrar | cobrar | *cubrár* |
| comisión | comissão | *cumisãu* |
| dinero | dinheiro | *diñeiru* |
| dólares | dólares | *dólarsh* |
| euro/s | euros | *eurush* |
| formulario | formulário | *furmuláriu* |
| moneda extranjera | moeda estrangeira | *muéda eshtrangéira* |
| tarjeta de crédito | cartão de crédito | *cartãu dd créditu* |
| transferencia | transferência | *transhferénsia* |
| traveller's checks | cheques de viagem | *chéquesh dd viajãim* |

**En la tienda de ropa.** Portugal nunca ha destacado por contar con grandes creadores de moda, pero en los últimos años ha surgido un grupo de interesantes diseñadores con cierto reconocimiento internacional como Fátima Lopes, José António Tenente, Ana Salazar, que cuentan con tiendas donden venden sus creaciones. La gran mayoría de firmas internacionales de moda poseen establecimientos o tiendas abiertas en las principales ciudades portuguesas.

## Frases útiles para expresarte

| | |
|---|---|
| Querría comprar unos vaqueros / una camisa / un pantalón / una falda / una chaqueta | Queria comprar umas calças de ganga / uma camisa / umas calças / uma saia / um casaco<br>*Quería cumprár úmash cálsash dd ganga / úma camisa / úmash cálsash/ úma sáia /u(m) cassácu* |
| ¿Puedo probarme estos pantalones? | Posso experimentar estas calças?<br>*Pósu eshperimentár éshtash cálsash?* |

No hay diferencias entre el sistema de tallas portugués y el español.

| | |
|---|---|
| ¿Cuánto cuesta? | Quanto custa?<br>*Cuántu cushta?* |
| ¿Tienen una talla más grande / pequeña? | Têm um tamanho maior / menor?<br>*Teiem u(m) tamáñu maiór / menór?* |
| Uso una M / S | Uso uma M / S<br>*Úsu úma éme ése* |
| ¿Dónde está el probador? | Onde está o provador?<br>*Óndd eshtá u pruvadór?* |
| ¿Tienen una talla cuarenta? | Têm um tamanho quarenta?<br>*Teiem u(m) tamañu cuarénta?* |
| Estoy buscando una camiseta de manga corta / un polo | Estou à procura de uma camisola de manga curta / um pólo<br>*Eshtou a prucura de úma camissóla dd mánga cúrta / u(m) pólu* |
| Está demasiado estrecho / ancho / largo / corto / pequeño / grande | É demasiado estreito / largo /comprido/ curto/ pequeno / grande<br>*É demassiádu eshtreitu / lárgu / cumprídu/ piquénu / grándd* |
| ¿Me puede hacer usted el dobladillo? | Podia fazer a bainha?<br>*Pudía fassér a baíña?* |
| Querría uno de color más oscuro / claro / alegre / serio | Queria um de cor mais escura / clara / alegre / séria<br>*Quería u(m) de cór maish eshcúra / clára/ alégre / séria* |
| Entonces, me llevo esta camiseta y estos vaqueros | Então, levo esta T-shirt e estas calças de ganga<br>*Entãu lévu éshta tshirt i éstash cálsash dd gánga* |
| ¿Me enseña alguna otra cosa? | Ensinava-me mais alguma coisa?<br>*Enssinávamm maish algúma coissa?* |

## Lo que puedes oír

| | |
|---|---|
| O que deseja? | ¿Qué desea? |
| Qual é o seu tamanho? | ¿Qué talla usa? |
| Como lhe fica? | ¿Cómo le queda? |
| Gosta? | ¿Le gusta? |
| Quer experimentar? | ¿Quiere probárselo? |
| O provador está no fundo à direita | El probador está al fondo a la derecha |
| São cinquenta euros | Son en total cincuenta euros |

# 5 Turismo y compras

## Palabras que puedes necesitar

| | | |
|---|---|---|
| abrigo | sobretudo | *subretúdu* |
| algodón | algodão | *algudãu* |
| bata | robe | *rróbe* |
| botón | botão | *butãu* |
| bragas / calzoncillos | cuecas | *cuécash* |
| bufanda | cachecol | *cashecól* |
| calcetines | meias | *méiash* |
| camisa | camisa | *camíssa* |
| camiseta | camisola | *camissóla* |
| cazadora | blusão | *blussãu* |
| chaqueta | casaco | *cassácu* |
| cinturón | cinto | *síntu* |
| corbata | gravata | *graváta* |
| cremallera | fecho | *féshu* |
| cuero | couro | *couru* |
| dependiente /-a | empregado/-a | *empregádu/-a* |
| dobladillo | bainha | *baíña* |
| falda | saia | *sáia* |
| guantes | luvas | *lúvash* |
| impermeable | impermeável | *iimpermiável* |
| jersey de lana | casaco de lã | *cassácu dd lá* |
| lana | lã | *lá* |
| lencería | lingerie | *langerí* |
| lino | linho | *líñu* |
| medias | meias | *méiash* |
| pantalones | calças | *cálsash* |
| pantalones cortos | calções | *calsóesh* |
| pañuelo | lenço | *lénsu* |
| piel | pele | *péle* |
| pijama | pijama | *pijáma* |
| ropa de gimnasia / de esquí | roupa de ginástica / de esquí | *roupa dd gináshtica / dd eshquí* |
| seda | seda | *séda* |
| sombrero | chapéu | *shapéu* |
| sujetador | soutien | *sutián* |
| traje de baño | fato de banho | *fátu dd báñu* |
| traje de noche | traje de noite | *tráje dd noítt* |
| vaqueros | calças de ganga | *cálsash dd gánga* |

## Lo que puedes ver

| | |
|---|---|
| Caixa | Caja |
| Moda mulher / homem / criança / jovem | Moda mujer / hombre / niño / joven |
| Provador | Probador |
| Tamanhos grandes | Tallas grandes |

**En la zapatería**

## Frases útiles para expresarte

| | |
|---|---|
| ¿Puedo probarme aquellos zapatos de tacón alto? | Posso experimentar aqueles sapatos de salto alto?<br>*Pósu eshperimentar aquelesh sapátush dd sáltu áltu?* |
| Querría un par de zapatos negros | Queria um par de sapatos pretos<br>*Quería u(m) pár dd sapátush prétush* |
| ¿Cuánto cuestan aquellos de allí? | Quanto custam aqueles ali?<br>*Cuántu cushtam aquelesh ali?* |
| Querría cambiar las suelas de estos zapatos | Queria trocar as solas destes sapatos<br>*Quería trucár ash sólash déshtesh sapátush* |
| Yo uso la talla treinta y ocho | Eu uso o tamanho trinta e oito<br>*Euússu u tamáñu trinta i óitu* |
| Son un poco grandes / pequeños | São um pouco grandes / pequenos<br>*Sãu u(m) pouco grándesh / piquénush* |
| Los querría de un color más claro / oscuro | Queria de uma cor mais clara / escura<br>*Quería dd úma cór maish clára / eshcúra* |
| Los querría más elegantes / baratos | Queria mais elegantes / baratos<br>*Quería maish elegántesh / barátush* |
| ¿Puedo probar una talla más grande? | Podia experimentar um tamanho maior?<br>*Pudía eshperimentár u(m) tamáñu maiór?* |
| Estos me van bien, los compro | Estes me ficam bem, vou levá-los<br>*Éshtesh mm fícam bãim vou leválush* |
| Querría un par de cordones para estos zapatos | Queria um par de atacadores para estes sapatos<br>*Queria u(m) pár dd atacadóresh prá éshtesh sapátush* |
| ¿Tiene este modelo en otro color? | Tem este modelo noutra cor?<br>*Tãim éshte mudélu noutra cór?* |

# Turismo y compras

| | |
|---|---|
| Querría un modelo más deportivo | Queria um modelo mais desportivo.<br>*Quería u(m) mudélu maish deshpurtívu* |

## Lo que puedes oír

| | |
|---|---|
| Quer experimentar outro modelo? | ¿Quiere probarse otro modelo? |
| De que cor deseja? | ¿De qué color los quiere? |
| Qual é o seu tamanho? | ¿Qué número calza? |
| Ficam-lhe bem? | ¿Le quedan bien? |
| Experimente estes | Pruébese estos |
| Ficam muito apertados? | ¿Le hacen daño? |
| Prefere de couro? | ¿Los prefiere de cuero? |
| Lamento imenso, mas não vendemos artigos desportivos | Lo siento, no vendemos artículos deportivos |
| Se desejar, posso dar-lhe o endereço de um sapateiro | Si quiere, le puedo dar la dirección de un zapatero |

## Palabras que puedes necesitar

| | | |
|---|---|---|
| botas | botas | *bótash* |
| chanclas | chinelos | *shinélush* |
| cordones | atacadores | *atacadóresh* |
| cuero | couro | *couru* |
| goma | borracha | *burrásha* |
| impermeables | impermeáveis | *impermeáveish* |
| piel | pele | *péle* |
| sandalias | sandálias | *sandáliash* |
| tacón alto / bajo / de aguja | salto alto / baixo/ agulha | *sáltu áltu / baishu / agúlla* |
| zapatillas | ténis | *ténish* |
| zapatos | sapatos | *sapátush* |
| zuecos | socas | *sócash* |

### En la peluquería y en el salón de belleza

## Frases útiles para expresarte

| | |
|---|---|
| Querría cortarme el pelo | Queria cortar o cabelo<br>*Quería curtár u cabélu* |

| | |
|---|---|
| ¿Hay que esperar mucho? | Devo esperar muito?<br>*Dévu eshperár múi(n)tu?* |
| Querría solo lavarlo | Somente queria lavar o cabelo<br>*Soménte queria lavár u cabélu* |
| Séquemelo con el secador | Por favor, seque com secador<br>*Pur favór séque com secador* |
| No me lo corte demasiado, por favor | Por favor, não corte muito<br>*Pur favór nãu córtt múi(n)tu* |
| Por favor, intente mantener el mismo color | Por favor, tente manter a mesma cor<br>*Pur favór ténte mantér a méshma cór* |
| Por aquí córtemelo más | Corte mais deste lado<br>*Córtt maish deshte ládu* |
| Querría un corte de moda | Queria um corte de moda<br>*Quería u(m) córtt na móda* |
| Querría cambiar de estilo | Queria mudar o meu visual<br>*Quería mudár u meu vissuál* |
| Póngame mechas | Queria fazer umas madeixas<br>*Quería fassér úmash madeishash* |
| Querría teñirme el pelo | Queria pintar o cabelo<br>*Quería pintár u cabelu* |
| Querría depilarme las piernas | Queria depilar as pernas<br>*Quería depilar ash pérnash* |
| ¿Me puede hacer la cera? | Podia fazer com cera?<br>*Pudía fassér com séra?* |
| ¿Aquí se dan masajes? | Aqui dão massagens?<br>*Aquí dão masájãins?* |
| ¿Me puede afeitar la barba? | Queria fazer a barba?<br>*Quería fassér a bárba?* |
| Está bien así | Assim está bem<br>*Asím eshtá bãim* |
| ¿Cuánto le debo? | Quanto é?<br>*Cuantú é?* |

## Lo que puedes oír

| | |
|---|---|
| Deseja que corte mais o cabelo? | ¿Quiere que le corte más el pelo? |
| Quer lavar? | ¿Quiere también lavarlo? |
| De que cor quer o esmalte / a tinta? | ¿De qué color quiere el esmalte / el tinte? |
| Que champô deseja? | ¿Qué tipo de champú quiere? |
| Quer que ponha condicionador? | ¿Quiere que le ponga acondicionador? |
| Só lavar ou também cortar? | ¿Solo lavar o también cortar? |

# 5 Turismo y compras

| | |
|---|---|
| Quer depilar-se as axilas e o rosto? | ¿Le depilo también las axilas y el rostro? |
| Quer a cera quente ou fria? | ¿Quiere la cera caliente o fría? |
| Depois deseja uma massagem? | ¿Después quiere también un masaje? |

## Palabras que puedes necesitar

| | | |
|---|---|---|
| caspa | caspa | *cáshpa* |
| champú anticaspa | champô anticaspa | *shampó anticáspa* |
| champú para cabellos grasos / secos | champô para cabelos oleosos / secos | *shampó prá cabélush uliósush / sécush* |
| esmalte | esmalte | *eshmáltt* |
| laca | laca | *láca* |
| loción | loção | *lusãu* |
| manicura | manicura | *manicúra* |
| masaje | massagem | *masájãim* |
| pedicura | pedicura | *pidicúra* |
| pintalabios | baton | *batón* |
| secador | secador | *secadór* |
| tinte | tinta | *tínta* |

### En la tintorería y en la lavandería

## Frases útiles para expresarte

| | |
|---|---|
| Querría limpiar este abrigo | Queria lavar este sobretudo<br>*Queria lavár éshté subretúdu* |
| ¿Cuánto cuesta? | Quanto custa?<br>*Cuántu cúshta?* |
| ¿Para cuándo estará listo? | Quando estará pronto?<br>*Cuándu eshtará próntu?* |
| ¿Podría teñirme de negro este pantalón? | Podia pintar de preto estas calças?<br>*Pudía pintar dd prétu éshtash cálsash?* |
| En el vestido hay unas manchas. ¿Podrían quitarlas? | No vestido há umas nódoas. Podia limpá-las?<br>*Nu veshtídu á úmash nóduash, podía limpálash?* |
| ¿Me explica cómo funciona la lavadora? | Podia explicar-me como funciona a máquina de lavar?<br>*Pudía eshplicármm cómu funsióna a máquina dd lavár?* |

| | |
|---|---|
| ¿Puede plancharme estos pantalones? | Podia passar a ferro estas calças?<br>*Pudía pasár a férru éshtash cálsash?* |
| ¿Hasta qué hora están abiertos? | Até que horas abrem?<br>*Até que órash abrãim?* |

## Lo que puedes oír

| | |
|---|---|
| Lamento, mas acho que a nódoa não se pode tirar | Lo siento, pero creo que la mancha no se quitará |
| Poderá levar as calças amanhã de manhã | Podrá recoger los pantalones a partir de mañana por la mañana |
| São dez euros | En total son diez euros |
| Para as peças de pele, deve ir para outro departamento | Para las prendas de piel, debe ir a otro sitio |
| Quer que explique como funciona a máquina de lavar? | ¿Quiere que le explique cómo funciona la lavadora? |

## Lo que puedes ver

| | |
|---|---|
| Lavar a mão | Lavar a mano |
| Lavar a seco | Lavar en seco |
| Lavar somente a mão | Lavar exclusivamente a mano |
| Não centrifugar | No centrifugar |
| Não lavar com água a ferver | No lavar con agua hirviendo |
| Não lavar em máquina de lavar | No lavar en lavadora |
| Não passar a ferro | No planchar |

## Palabras que puedes necesitar

| | | |
|---|---|---|
| detergente | detergente | *detergéntt* |
| jabón | sabão | *sabãu* |
| lavadora | máquina de lavar | *máquina dd lavár* |
| lavandería | lavandaria | *lavandaría* |
| mancha | nódoa | *nódua* |
| planchar | passar a ferro | *pasár a férru* |
| secadora | secadora | *secadóra* |

# 5 Turismo y compras

### En la tienda de fotografía

## Frases útiles para expresarte

| | |
|---|---|
| Querría un carrete en color de 36 fotos | Queria um rolo a cores para 36 fotos<br>*Quería u(m) rólu a córesh prá trinta i seish fótush* |
| ¿Puede poner usted el carrete en la cámara? | Podia colocar o rolo na câmara?<br>*Pudía culucár u rólu ná câmara?* |
| ¿Tienen cámaras digitales? | Têm cámaras digitais?<br>*Teiem cámarash digitáish?* |
| Querría revelar estas fotos | Queria revelar estas fotos<br>*Quería revelár éshtash fótush.* |
| ¿Cuándo estarán listas las fotos? | Quando estarão prontas as fotos?<br>*Cuándu eshtarãu prontásh as fótush?* |
| Querría dos copias de cada negativo | Queria duas cópias de cada negativo<br>*Quería duash cópiash dd cada negatívu* |
| Necesitaría fotos para carné | Queria fazer uma foto para o bilhete de identidade<br>*Quería fassér úma fótu prá u billétt dd identidádd* |
| ¿Se pueden grabar estas fotos en CD? | Estas fotos podem ser gravadas num CD?<br>*Éshtash fótush pódem ser gravádash num cédé?* |
| ¿Tienen pilas para esta cámara fotográfica? | Têm pilhas para esta câmara?<br>*Teiem pillásh prá éshta cámara?* |
| ¿Me pueden ampliar esta foto? | Podiam fazer uma ampliação desta foto?<br>*Podiam fassér úma ampliasãu déshta fótu?* |

## Lo que puedes oír

| | |
|---|---|
| Lamento imenso, mas só temos rolos a cores / a preto e branco | Lo siento, tenemos solo carretes en color / en blanco y negro |
| Que formato deseja? | ¿Qué formato desea? |
| Quer as fotografias com brilho? | ¿Las quiere en brillo? |
| Se comprar dois rolos, oferecemos outro | Si compra dos carretes, le regalamos otro |
| Poderá levar as fotos amanhã à tarde | Pase a recoger las fotos mañana por la tarde |

## Palabras que puedes necesitar

| | | |
|---|---|---|
| ampliación | ampliação | *ampliasãu* |
| automático | automático | *autumáticu* |
| cámara digital | câmara digital | *cámara digitál* |
| cámara fotográfica | câmara fotográfica | *cámara futugráfica* |
| cámara de vídeo | câmara de vídeo | *cámara dd vídiu* |
| carrete en color / en blanco y negro | rolo a cores / a preto e branco | *rrólu a coresh / a prétu i bráncu* |
| color | cor | *cor* |
| diapositiva | diapositivo / slide | *diapositívo /shlaid* |
| filtro | filtro | *fíltru* |
| flash | flash | *flash* |
| formato | formato | *furmátu* |
| foto | foto | *fótu* |
| fotografía | fotografia | *futugrafía* |
| impresión | impressão | *impresãu* |
| negativo | negativo | *negatívu* |
| objetivo | objectiva | *ubjectíva* |
| obturador | obturador | *ubturadór* |
| pantalla (cámara digital) | ecrã (câmara digital) | *ecrá (cámara digitál)* |
| pila | bateria / pilha | *batería / pílla* |
| revelado | revelado | *reveládu* |
| trípode | tripé | *tripé* |
| visor | visor | *vissór* |
| zoom digital / óptico | zoom digital / óptico | *ssum digitál* |

**En el supermercado**

## Frases útiles para expresarte

| | |
|---|---|
| ¿Hay algún supermercado por aquí cerca? | Há algúm supermercado aqui perto? *Á algúm supermercádu aquí pértu?* |
| ¿Dónde está la sección de electrodomésticos? | Onde é a secção de electrodomésticos? *Óndd é a secsãu dd eletruduméshticush?* |
| ¿Me puede dar una moneda para el carrito? | Podia dar-me uma moeda para o carrinho? *Pudía dármm úma muéda prá u carríñu?* |

# 5 Turismo y compras

| | |
|---|---|
| Querría comprar esta marca de vino, ¿la tienen? | Queria comprar esta marca de vinho, têm aqui?<br>*Quería cumprar éshta márca dd víñu, teiem aquí?* |
| Perdone, ¿dónde puedo encontrar el aceite? | Desculpe, onde posso encontrar o azeite?<br>*Deshcélpp óndd pósu incuntrár u asséitt?* |
| ¿Puede escribirme el precio? | Podia escrever o preço?<br>*Pudía eshcrevér u présu?* |
| ¿Puedo pagar con tarjeta de crédito? | Posso pagar com cartão de crédito?<br>*Pósu pagár com cartãu dd créditu?* |
| ¿Cuánto le debo? | Quanto é?<br>*Cuántu é?* |
| No me ha dado el recibo | Não me deu o talão de compra<br>*Nãu mm déu u talãu dd cómpra* |
| ¿Puede darme cien gramos de carne de cerdo?<br>**(Carnicería)** | Podia dar-me cem gramas de carne de porco? (Talho)<br>*Pudia dármm sãim grámash dd cárnn dd pórcu? (Tállu)* |
| Querría un kilo de pan y cuatro bocadillos<br>**(Panadería)** | Queria um pão e quatro carcaças (Padaria)<br>*Quería u(m) pãu i cuátru carcássash (Padaría)* |
| ¿Me da un kilo de naranjas de zumo y cuatro plátanos?<br>**(Frutería)** | Dava-me um quilo de laranjas de sumo e quatro bananas? (Frutaria)<br>*Davamm u(m) quílu dd laranjash dd súmu i cuátru bananash? (Frutaría)* |
| Querría medio kilo de pez espada y cinco sardinas<br>**(Pescadería)** | Queria meio quilo de espadarte e um quilo de sardinhas (Peixaria)<br>*Quería méiu quílu dd eshpadártt i u(m)quílu dd sardíñash (Peisharía)* |
| Querría una tarta de manzana y cuatro pasteles de arroz<br>**(Pastelería)** | Queria uma tarte de maçã e quatro bolos de arroz (Pastelaria)<br>*Queria úma tartt dd masá i cuátru bólush dd arrósh (Pashtelaría)* |
| Necesito dos sellos para España<br>**(Correos)** | Preciso de dois selos para Espanha (Correios)<br>*Presísso dd dóish sélush prá Ɛshpáña (Curreiush)* |
| Um paquete de tabaco y una caja de cerillas, por favor<br>**(Estanco)** | Queria um maço de tabaco e uma caixa de fósforos (Tabacaria)<br>*Quería u(m) másu dd tabácu i úma caisha dd fóshfurush (Tabacaría)* |

## 5.5 Ocio y deporte

**Espectáculos.** En las grandes ciudades portuguesas, encontrarás una amplia oferta de ocio. En la prensa local, tendrás acceso a la lista de las películas en cartelera. En Lisboa, el Teatro Nacional Dona Maria II es punto de visita obligado para los aficionados al arte dramático. Debemos citar también el Teatro Nacional de São Carlos, cuya temporada de ópera se prolonga de septiembre a junio, aunque ofrece conciertos y ballet durante todo el año. !

### Frases útiles para expresarte

| | |
|---|---|
| ¿Qué película ponen en esta sala? | Qual é o filme que passam nesta sala?<br>*Cuál é u filmm que pásam néshta sála?* |
| ¿Cuánto cuesta una entrada? | Quanto custa um bilhete?<br>*Cuántu cúshta u(m) billétt?* |
| ¿Dónde se pueden comprar las entradas? | Onde posso comprar os bilhetes?<br>*Óndd póssu cumprár ush billétsh?* |
| ¿Es en versión original? | É em versão original?<br>*É ãim versãu uriginál?* |
| ¿A qué hora comienza la película? | A que horas começa o filme?<br>*A qué órash cumésa u filmm?* |
| ¿Qué obras hay en el teatro? | Que peças representam no teatro?<br>*Qué pésash rrepresséntam un tiátru?* |
| ¿Hay todavía entradas para la representación del domingo? | Ainda há bilhetes para a representação do domingo?<br>*Aínda á billétsh prá a rrepressentasãu du dumíngu ?* |
| Querría dos entradas para la platea | Queria dois bilhetes para a plateia<br>*Quería doish billétsh prá a platéia* |
| ¿Cuánto cuesta una entrada para el palco / el patio de butacas? | Quanto custa um bilhete para o balcão / a platéia?<br>*Cuántu cúsht u(m) billétt prá u balcãu / a platéia?* |
| ¿Se trata de una comedia o de un drama? | É uma comédia ou um drama?<br>*É úma cumédia ou u(m) dráma?* |
| ¿Tienen un programa de los conciertos de verano? | Têm um programa dos concertos de Verão?<br>*Teiem u(m) prugráma dush cunsértush dd verãu?* |

Los cines ofrecen películas solo en versión original, por tanto las películas extranjeras no se doblan, se proyectan con subtítulos en portugués.

## 5 Turismo y compras

| | |
|---|---|
| ¿El Ayuntamiento organiza un festival de música clásica? | A Câmara Municipal organiza um festival de música clássica?<br>*A cámara munisipál urganíssa u(m) feshtivál dd mússica clásica?* |

## Lo que puedes oír

| | |
|---|---|
| O filme é em francês com legendas em português | La película es en francés con subtítulos en portugués |
| Lamento, mas não há bilhetes | Lo siento, pero está todo agotado |
| O espectáculo começa às oito da tarde | El espectáculo comienza a las ocho de la tarde |
| Os bilhetes compram-se na bilheteira | Las entradas se compran en la taquilla |
| Tem de levantar os bilhetes antes das nove horas | Debe recoger las entradas antes de las nueve |
| Para que espectáculo quer reservar? | ¿Para qué espectáculo quiere reservar? |
| Apenas temos lugares nos balcões | Solo nos quedan butacas en los palcos |
| Podiam mostrar-me os seus bilhetes? | ¿Me muestran sus entradas? |
| Este é o seu lugar | Esta es su butaca |

## Palabras que puedes necesitar

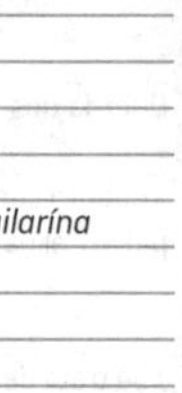

| | | |
|---|---|---|
| acto | acto | *átu* |
| actor / actriz | actor / actriz | *atór / atrísh* |
| aplauso | aplauso | *apláusu* |
| asiento | assento | *aséntu* |
| bailarín / bailarina | bailarino / bailarina | *bailarínu / bailarína* |
| ballet | ballet | *balé* |
| banda | banda | *bánda* |
| bis | bis | *bísh* |
| butaca | cadeira | *cadeira* |
| camerino | camarim | *camarím* |
| cantante | cantor / cantora | *cantór / cantóra* |
| cine | cinema | *sinéma* |
| circo | circo | *sircu* |
| cola | fila / bicha | *fila / bísha* |
| comedia | comédia | *cumédia* |
| concierto | concerto | *cunsértu* |
| conservatorio | conservatório | *cunservatóriu* |

| cortometraje | curta-metragem | *cúrtametrájãim* |
|---|---|---|
| director | director | *diretór* |
| director de orquesta | director de orquestra | *diretór dd urquéshtra* |
| doblaje | dobragem | *dubrájãim* |
| drama | drama | *dráma* |
| ensayo | ensaio | *ensaiu* |
| entrada | entrada | *entráda* |
| entreacto | entreacto | *entreátu* |
| escena | cena | *séna* |
| escenario | palco | *pálcu* |
| escenografía | cenografia | *senugrafía* |
| espectáculo | espectáculo | *eshpetáculu* |
| festival | festival | *feshtivál* |
| folclore | folclore | *fulclór* |
| guión | guião | *guiãu* |
| largometraje | longa-metragem | *lunga-metrájãim* |
| música clásica / folk / jazz / ligera / lírica / popular | música clássica / folk / jazz / ligeira / lírica / popular | *mússica clásica / folk / jásh / ligéira / lírica / pupulár* |
| ópera | ópera | *ópera* |
| opereta | opereta | *uperéta* |
| orquesta | orquestra | *urquéshtra* |
| palco | balcão | *balcãu* |
| pantalla | ecrã | *ecrá* |
| película de amor / de aventura / de terror | filme romántico / de aventura / de terror | *filmm rumánticu / dd aventúrash / dd terrór* |
| platea | plateia | *platéia* |
| pop | pop | *póp* |
| programa | programa | *prugráma* |
| público | público | *públicu* |
| rock | rock | *rróc* |
| sinfonía | sinfonia | *sinfunía* |
| sonido | som | *sóm* |
| soprano | soprano | *supránu* |
| taquilla | bilheteira | *billeteira* |
| teatro | teatro | *tiátru* |
| telón | pano | *pánu* |
| tenor | tenor | *tenór* |
| título | título | *títulu* |
| tragedia | tragédia | *tragédia* |
| trama | trama | *tráma* |

# Turismo y compras

## Lo que puedes ver

| | |
|---|---|
| Entrada | Entrada |
| Guarde silêncio durante a representação | Se ruega silencio durante la representación |
| Desliguem os telemóveis | Apaguen los móviles |
| Saída | Salida |
| Saída de emergência | Salida de emergencia |
| É proibido a menores de dezoito anos | Prohibido a menores de dieciocho años |
| É proibido fumar | Prohibido fumar |

**Deportes.** Existen excelentes condiciones para la práctica de deportes acuáticos como el surf, el *windsurf* o la vela, puertos deportivos que acogen gran cantidad de embarcaciones y buenas oportunidades de practicar el golf sobre todo en los alrededores de Lisboa y en el Algarve.

## Frases útiles para expresarte

| | |
|---|---|
| ¿Cuánto cuesta una hora en el campo de fútbol sala? | Quanto custa uma hora no campo de futebol sala?<br>*Cuántu cushta úma óra un cámpu dd futeból?* |
| Querría hacer un abono de un mes para el gimnasio | Queria um passe mensal para o ginásio<br>*Queria um páse mensál prá u ginássiu* |
| ¿Hay una piscina pública por aquí? | Há uma piscina pública por aqui?<br>*Á úma pishína pública pur aquí?* |
| Querría recibir clases de esgrima / de esquí | Queria receber aulas de esgrima / esqui<br>*Quería resebér aulash dd eshgríma / eshquí* |
| ¿Hay una escuela de vela? | Há uma escola de vela?<br>*Há úma eshcóla dd véla?* |
| ¿Dónde se puede alquilar una tabla de *windsurf*? | Onde posso alugar uma prancha de windsurf?<br>*Óndd póssu alugár úma pránsha dd uindsurf?* |

El fútbol es el deporte nacional y se sigue con pasión.

| | |
|---|---|
| Querríamos reservar una mesa de ping-pong | Queriamos reservar uma mesa de pingue-pongue<br>*Queríamush resservár úma méssa dd pínguepóngue* |
| Querría alquilar esquís y botas | Queria alugar esquís e botas<br>*Quería alugár eshquísh i bótash* |
| ¿Me podría dar un mapa de las pistas? | Podia dar-me um mapa das pistas?<br>*Pudía dármm u(m) mápa dash píshtash?* |
| ¿Hay una cancha de tenis por aquí cerca? | Há uma pista de ténis aqui perto?<br>*Á úma pishta dd ténish aquí pértu?* |
| ¿Cuánto cuesta al día el alquiler de una bici? | Quanto custa por dia o aluguer de uma bicicleta?<br>*Cuántu cushta pur día u aluguér dd úma bisiclétt?* |
| ¿Dónde está el estadio? | Onde é o estádio?<br>*Óndd é u eshtádiu?* |
| ¿Cuánto cuestan las entradas para el partido de fútbol? | Quanto custam os bilhetes para a partida de futebol?<br>*Cuántu cúshtam ush billétsh prá a partída dd futeból?* |

## Lo que puedes oír

| | |
|---|---|
| O preço de aluguer de uma bicicleta é de um euro por hora | El precio del alquiler de una bici es de 1 euro por hora |
| Para pescar neste rio, precisa de uma licença | Para pescar en este río, necesita licencia |
| Quem ganhou? | ¿Quién ha ganado? |
| Como vai a partida? | ¿Cómo va el partido? |
| Os bilhetes, por favor | Las entradas, por favor |
| Lamento imenso, mas amanhã as instalações permanecerão fechadas | Lo siento, mañana las instalaciones están cerradas |

## Lo que puedes ver

| | |
|---|---|
| Acesso à praia | Acceso a la playa |
| Mergulhador Socorrista | Socorrista |
| Perigo | Peligro |
| Perigo: corrente | Peligro: corriente |
| Aluguer de bicicletas / canoas | Se alquilan bicis / canoas |

# 5 Turismo y compras

| | |
|---|---|
| É proibido pescar com mais de um anzol | Prohibido pescar con más de un anzuelo |

## Palabras que puedes necesitar

| | | |
|---|---|---|
| aficionado | amador | *amadór* |
| aletas | barbatanas | *barbatánash* |
| alpinismo | alpinismo | *alpiníshmu* |
| anzuelo | anzol | *anssól* |
| atletismo | atletismo | *atletíshmu* |
| balón | bola | *bóla* |
| baloncesto | basquetebol | *bashqueteból* |
| barca a motor / a remo / a vela | barco a motor / a remo / a vela | *bárcu a motór / a rému / a véla* |
| bicicleta | bicicleta | *bisiclétt* |
| bicicleta estática | bicicleta estática | *bisiclétt eshtática* |
| bicicleta de montaña | bicicleta de montanha | *bisiclétt dd muntáña* |
| botas | botas | *bótash* |
| camiseta | camisola | *camissóla* |
| campo / cancha | campo / cancha | *cámpu / píshta* |
| caña de pescar | cana de pescar | *cána dd peshcár* |
| canoa | canoa | *canóa* |
| caza | caça | *cása* |
| chándal | fato de treino | *fátu dd treinu* |
| entrada | bilhete | *billétt* |
| equipo | equipa | *equípa* |
| equitación | equitação | *equitasãu* |
| escalada | escalada | *eshcaláda* |
| esgrima | esgrima | *eshgríma* |
| esquí | esquí | *eshquí* |
| esquiar | esquiar | *eshquiár* |
| estadio | estádio | *eshtádiu* |
| fútbol | futebol | *futeból* |
| gimnasia | ginástica | *gináshtica* |
| gimnasio | ginásio | *ginássiu* |
| golf | golfe | *gólfe* |
| instructor | instrutor | *inshtrutór* |
| natación | natação | *natasãu* |
| pantalones cortos | calções | *calsóesh* |
| patines | patins | *patínsh* |
| pesca | pesca | *péshca* |

| | | |
|---|---|---|
| ping-pong | pingue-pongue | *pínguepóngue* |
| piscina | piscina | *pishína* |
| pista | pista | *píshta* |
| raqueta de ping-pong / de tenis | raqueta de pingue-pongue / de ténis | *rraquéta dd pínguepóngue / dd ténish* |
| tabla de *windsurf* | prancha de windsurf | *pránsha dd uindsurf* |
| tenis | ténis | *ténish* |
| trineo | trenó | *trenó* |
| vela | vela | *véla* |
| voleibol | voleibol | *voleiból* |
| waterpolo | waterpolo | *uaterpólu* |
| *windsurf* | windsurf | *uindsurf* |
| zapatillas | ténis | *ténish* |

## 5.6 Vida nocturna

**Vivir la noche.** La vida nocturna es particularmente activa en las zonas más turísticas y, en especial, en Lisboa con una oferta capaz de satisfacer todos los gustos. Son tradicionales las noches de fado en las tabernas de Alfama o Mouraria. !

### Frases útiles para expresarte

| | |
|---|---|
| ¿Conoce alguna discoteca por aquí cerca? | Conhece alguma discoteca aqui perto?<br>*Cuñése alguma dishcutéca aquí pértu?* |
| ¿A qué hora abre / cierra? | A que horas abre / fecha?<br>*A qué órash ábre / fésha?* |
| Querría ir a bailar | Queria ir dançar<br>*Queria ir dánsár* |
| ¿Quiere / quieres ir a beber algo? | Quer / queres ir beber alguma coisa?<br>*Quer / quéresh ir bebér algúma coissa?* |
| Conozco un sitio agradable justo aquí al lado | Conheço um local muito agradável mesmo aqui ao lado<br>*Cuñésu u(m) lucál múi(n)tu agradável méshmu aquí au ládu* |

! Las Docas, antiguos tinglados y almacenes de los muelles junto al Tajo reconvertidos en locales y restaurantes de todo tipo, constituyen un lugar de gran afluencia de noctámbulos.

# 5 Turismo y compras

| | |
|---|---|
| ¿Qué tipo de música tocan? | Que tipo de música tocam?<br>*Qué típu dd músssica tócam?* |
| ¿Cuánto cuesta la entrada? | Quanto custa o bilhete?<br>*Cuántu cúshta u billétt?* |
| ¿La entrada da derecho a una consumición? | O bilhete da direito a uma bebida?<br>*U billétt dá direitu a úma bebída?* |
| ¿Hay algún sitio dónden toquen jazz? | Há algum local onde toquem jazz?<br>*Á algúm lucál óndd tóquãim jásh?* |
| ¿Quieres bailar? | Queres dançar?<br>*Quéresh dansár?* |
| ¿Me concede este baile? | Quer dançar comigo?<br>*Quer dansár cumígu?* |
| ¿Te apetece ir a un pub / un restaurante / una pizzería? | Apetecia-te ir a um pub / um restaurante / uma pizzaria?<br>*Apetesiátt ir a u(m) pab / u(m) reshtauránt / úma pisharía?* |
| ¿Dónde está el guardarropa? | Onde é o guarda-roupa?<br>*Óndd é u guardarróupa?* |

## Lo que puedes oír

| | |
|---|---|
| Não gosto nada deste local, há demasiado barulho / demasiada gente | Este sitio no me gusta: hay demasiado ruído / demasiada gente |
| Sim, beberia com muito gosto uma cerveja | Sí, me bebería con gusto una cerveza |
| Lamento imenso, para entrar é obrigatório um traje de noite | Lo siento, para entrar es obligatorio el traje de noche |
| Não, não gosto de dançar | No, no me gusta bailar |
| O bilhete só dá direito a uma bebida | La entrada da derecho a una sola consumición |
| Quer gelo no uísque? | ¿Quiere hielo en el whisky? |

## Lo que puedes ver

| | |
|---|---|
| Entrada | Entrada |
| Guarda-roupa | Guardarropa |
| Toilette / casa de banho | Servicios / WC |
| Saída | Salida |
| Saída de emergência | Salida de emergencia |

# Emergencias y salud 6

Si vas a permanecer menos de tres meses en Portugal, es conveniente que lleves contigo el formulario E-111 que te permitirá obtener asistencia sanitaria gratuita según el convenio establecido con España para este particular.
Se presta asistencia médica en los hospitales, en los que funciona un servicio de urgencias las 24 horas del día. También hay numerosas clínicas que abren de 8.00 a 20.00 hrs.
Podrás identificar las farmacias por la cruz verde que aparece en su rótuto sobre un fondo blanco. Permanecen abiertas de 9.00 a 13.00 y de 15.00 a 19 hrs. y se proporciona información de las farmacias de guardia más próximas.



! También tenemos en común el número de teléfono para emergencias, el 112.

# 6 Emergencias y salud

## 6.1 Pedir ayuda

**Llamadas de emergencia.** Además del mencionado **112,** otros teléfonos de utilidad son:

En todo el país. **115** (accidentes y ambulancias).
En Lisboa. **346 61 41** (policía) y **342 22 22** (bomberos).
En Oporto. **200 68 21** (policía).

### Frases útiles para expresarte

| | |
|---|---|
| No me encuentro bien, ¿podrían enviar una ambulancia? | **Não me sinto bem ¿podiam enviar uma ambulância?**<br>*Nãu me síntu bém pudíam enviar úma ambulánsia?* |
| Por favor, ¿me podría indicar dónde está el hospital más próximo? | **Por favor, podia indicar-me onde está o hospital mais próximo?**<br>*Pur favór pudía indicármm onde eshtá u ushpita maish prósimu?* |
| ¿Podrían enviar un médico? Tenemos una emergencia | **¿Podiam enviar um médico? Temos uma emergência**<br>*Pudíam inviár u(m) médicu témush úma emergénsia* |
| Por favor, envíen una ambulancia. ¡Es muy urgente! | **Por favor, enviem uma ambulância. É muito urgente!**<br>*Pur favór invíem úma ambulánsia. É muí(n)tu urgéntt.* |
| Me han robado el bolso con toda mi documentación. ¿Dónde puedo hacer la denuncia? | **Roubaram-me o saco com toda a minha documentação. Onde posso fazer a denúncia?**<br>*Rroubaramm u sácu com tóda a miña ducuméntasãu. Óndd possu fassér a denúnsia?* |
| ¿Bomberos? ¿Podrían enviar a alguien? Hemos quedado atrapados en un ascensor | **Bombeiros? Podiam enviar alguém? Ficamos presos num elevador**<br>*Bombeirush? pudíam inviár alguãim. Ficámush préssush num ilevadór* |
| Se ha producido un accidente ¿Podrían enviar una grúa? | **Ocorreu um acidente. Podiam enviar uma grua?**<br>*Ocorreu u(m) asidéntt. Pudiam inviár úma grúa?* |

| | |
|---|---|
| ¿Policía? ¿Podrían facilitarme el teléfono de la Embajada española? He perdido mi pasaporte | Polícia? Podiam facilitar-me o telefone da Embaixada espanhola? Perdi o meu passaporte<br>*Polísia. Pudíam fasilitarmm u tlefónn da enbaisháda españóla? Perdí u meu pasapórtt* |
| Nos han robado. El ladrón ha huido en aquella dirección | Roubaram-nos. O ladrão fugiu naquela direcção<br>*Roubaramnush. U ladrãu fugiu naquela diresãu* |

## Lo que puedes oír

| | |
|---|---|
| Não se preocupe. Enviamos uma ambulância | No se preocupe. Enviamos una ambulancia |
| Envio a sua chamada para o 112 e eles enviarão uma ambulância | Envío su llamada al 112 y ellos se ocuparán de mandar una ambulancia |
| Exite um posto de atenção de urgências / um hospital nessa rua | Existe un puesto de atención de urgencias/ un hospital en esa calle |
| Deve chamar um médico de urgência | Debe llamar a un médico de urgencia |
| Podia fazer uma descrição do ladrão? Tinha barba, qual era a sua estatura, tinha o cabelo curto, comprido? | ¿Podría hacer una descripción del ladrón? ¿Tenía barba, cual era su estatura, llevaba el pelo corto, largo? |
| O que lhe roubaram? | ¿Qué le han robado? |
| Em que direcção fugiu? | ¿En qué dirección escapó? |
| Aconselho-lhe que venha aqui, à esquadra da polícia e faça uma denúncia | Le aconsejo que venga aquí, a la comisaría, y ponga una denuncia |

## Palabras que puedes necesitar

| | | |
|---|---|---|
| accidente | acidente | *asidéntt* |
| ambulancia | ambulância | *ambulánsia* |
| ascensor | elevador | *ilevadór* |
| asesino | assassino | *asasínu* |
| atención | atenção | *atensãu* |
| atraco | assalto | *asáltu* |
| ayuda | ajuda | *ajúda* |
| bombero | bombeiro | *bombéiru* |
| centralita | posto central | *póshtu centrál* |
| ciclomotor | ciclomotor | *ciclomutór* |
| consulado | consulado | *cunsuládu* |

# 6 Emergencias y salud

| | | |
|---|---|---|
| denuncia | denúncia | *denúnsia* |
| embajada | embaixada | *embaisháda* |
| enfermo | doente | *duentt* |
| escalera | escada | *eshcáda* |
| extintor | extintor | *eshtintór* |
| gnr | gnr (guarda nacional republicana) | *gé éne érre* |
| herida | ferida | *ferída* |
| hola | olá | *olá* |
| hombre | homem | *omãim* |
| hospital | hospital | *ushpitál* |
| incendio | incêndio | *inséndiu* |
| inundación | inundação | *inundasãu* |
| joven | jovem | *jóvãim* |
| ladrón | ladrão | *ladrãu* |
| niño | criança | *criánsa* |
| peligro | perigo | *perígu* |
| polícia | polícia | *polísia* |
| psp | psp (polícia de segurança pública) | *pé ése pé* |
| rápido | rápido | *rrápidu* |
| robo | roubo | *rroubu* |
| teléfono | telefone | *tlefónn* |
| urgencias | urgências | *urgénsiash* |

## 6.2 Policía

### En la comisaría

#### Frases útiles para expresarte

| | |
|---|---|
| ¿Dónde está la comisaría más cercana? | Onde se encontra a esquadra de polícia mais próxima?<br>*Óndd si encóntra a eshcuádra dd polísia maish prósima?* |
| Me han robado. Quiero poner una denuncia | Roubaram-me. Quero fazer uma denúncia<br>*Rroubaramm. Quero fassér úma denúnsia* |
| Me han robado la cartera. Dentro llevaba toda mi documentación | Roubaram-me a carteira. Dentro levava toda a minha documentação<br>*Rroubaramm a cartéira. Dentru levávα tóda a míña ducumentasãu* |

| | |
|---|---|
| Alguien ha entrado en nuestra habitación del hotel | Alguem entrou no nosso quarto do hotel<br>*Algãim entrou nu nóssu cuártu du utél.* |
| Me han forzado el coche | Forçaram o meu carro<br>*Fursáram u meu cárru* |
| He perdido mi pasaporte en el tren | Perdi o meu passaporte no comboio<br>*Perdí u meu pasapórtt nu cumbóiu* |
| He perdido a mi hijo/-a | Perdi o meu filho/-a<br>*Perdí u meu fíllu/-a* |
| Un señor lo vio todo | Havia um senhor que viu tudo<br>*Avía u(m) señór que viu túdu* |
| Este es el número de teléfono del testigo | Este é o número de telefone da testemunha<br>*Ɛshte é u númeru dd tlefónn da teshtemúña* |
| El ladrón llevaba un pantalón vaquero / una camiseta / una camisa de manga larga | O ladrão levava umas calças de ganga / uma T-shirt / uma camisa de manga comprida<br>*U ladrão levávα úmash calsash dd gánga / úma tshirt / úma camíssa dd mánga cumprída* |
| El ladrón se ha escondido en el cine | O ladrão escondeu-se no cinema<br>*U ladrãu eshcondeuss nu sinéma* |
| ¿Puede ayudarme a rellenar el formulario de denuncia? | Podia ajudar-me a preencher o formulalário de denúncia?<br>*Pudía ajudarmm a prienshér u furmuláriu?* |
| Necesito un abogado | Preciso de um advogado<br>*Presíssu di um advugadu* |

## Lo que puedes oír

| | |
|---|---|
| O que lhe aconteceu? | ¿Qué le ha sucedido? |
| Onde é que aconteceu? | ¿Dónde ha ocurrido? |
| Havia alguma testemunha? | ¿Había algún testigo? |
| Quer fazer uma denúncia? | ¿Quiere poner una denuncia? |
| Podia dar-me uma descrição do ladrão? | ¿Me puede dar una descripción del ladrón? |
| Desculpe, onde está alojado? | Perdone, ¿dónde está alojado? |
| Sente-se e espere um momento | Siéntese y espere un momento |
| Posso aconselhar-lhe um advogado que fala espanhol? | ¿Puedo aconsejarle un abogado que habla español? |

| | |
|---|---|
| Para fazer uma denúncia deve preencher este formulário. | Para poner una denuncia debe rellenar este formulario |
| Por favor, assine aqui | Por favor, firme aquí |

## Palabras que puedes necesitar

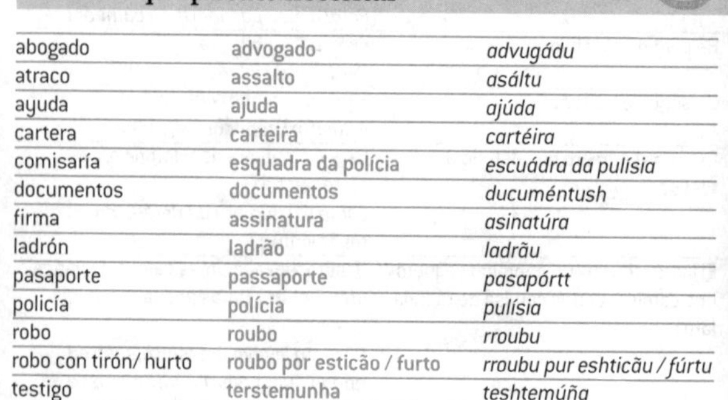

| | | |
|---|---|---|
| abogado | advogado | *advugádu* |
| atraco | assalto | *asáltu* |
| ayuda | ajuda | *ajúda* |
| cartera | carteira | *cartéira* |
| comisaría | esquadra da polícia | *escuádra da pulísia* |
| documentos | documentos | *ducuméntush* |
| firma | assinatura | *asinatúra* |
| ladrón | ladrão | *ladrãu* |
| pasaporte | passaporte | *pasapórtt* |
| policía | polícia | *pulísia* |
| robo | roubo | *rroubu* |
| robo con tirón/ hurto | roubo por esticão / furto | *rroubu pur eshticãu / fúrtu* |
| testigo | terstemunha | *teshtemúña* |

## 6.3 Seguros

### En la oficina de seguros

## Frases útiles para expresarte

| | |
|---|---|
| No tengo el E 111. ¿Me puede atender un médico? | Não tenho o E 111. Podia ser atendido por um médico?<br>*Nãu téñu o Ɛ 111. pudía ser atendídu pur u[m] médicu?* |
| He perdido mi maleta | Perdi a minha mala<br>*Perdí a míña mála* |
| No se preocupe, mi seguro se ocupa de todo | Não se preocupe, o meu seguro encarrega-se de tudo<br>*Nãu se priucúpp u meu segúru encarregass dd túdu* |
| Tengo una póliza de seguros a todo riesgo | Tenho uma apólice de seguros contra todos os riscos<br>*Téñu úm apólise dd segúrush cóntra tódush ush ríshcush* |

| | |
|---|---|
| He tenido un accidente con el coche | Tive um acidente com o carro<br>*Tíve u(m) asidéntt com u cárru* |
| ¿Cómo puedo reclamar los daños? | Como posso reclamar os danos?<br>*Cómu póssu rreclamar ush dánush?* |
| ¿Puede ayudarme a rellenar este formulario? | Podia ajudar-me a preencher este formulário?<br>*Pudía ajudármm a prienshé éshte furmuláriu?* |
| Tengo un seguro de vida | Tenho um seguro de vida<br>*Téñu u(m) segúru dd vída* |

## Lo que puedes oír

| | |
|---|---|
| Dê-me a sua apólice de seguros, se faz favor | Deme su poliza de seguros, por favor |
| O seu seguro não cubre os danos pelos que o senhor é responsável | Su seguro no cubre los daños de los que es usted responsable |
| Podia dar-me os seus dados pessoais? | ¿Puede darme sus datos personales? |
| Possui um seguro contra todos os riscos? | ¿Dispone de un seguro a todo riesgo? |
| Por favor, assine aqui | Por favor, firme aquí |

## Palabras que puedes necesitar

| | | |
|---|---|---|
| accidente | acidente | *asidéntt* |
| coche | carro | *cárru* |
| daños | danos | *dánush* |
| formulario | formulário | *furmuláriu* |
| maleta | mala | *mála* |
| póliza | apólice | *apólise* |
| reembolso | reembolso | *rreembólsu* |
| seguro a todo riesgo | seguro contra todos os riscos | *segúru contra tódush ush ríshcush* |
| seguro de vida | seguro de vida | *segúru dd vída* |

## 6.4 Asistencia médica

**En la consulta médica.** En Portugal, al igual que en España, existen *Centros de saúde* dependientes de la seguridad social que se encargan de atender a los pacientes con dolencias que no necesiten atención hospilaria. Se encuentran principalmente en las zonas de gran afluencia turística o grandes ciudades. Si necesitas recibir atención en uno de estos centros, pregunta en recepción el protocolo a seguir pues, si se trata de cosas poco urgentes, pueden darte consulta pasados dos o tres días. !

## Frases útiles para expresarte

| Español | Português / Pronunciación |
|---|---|
| ¡Un médico, por favor! | Um médico, por favor!<br>*U(m) médicu pur favór!* |
| ¿Dónde podría encontrar un buen médico? | Onde podia encontrar um bom médico?<br>*Óndd pudía incontrar u(m) bom médicu?* |
| No me encuentro bien. ¿El hotel ofrece servicio médico? | Não me sinto bem. O hotel oferece serviço médico?<br>*Nãu me síntu bãim, u utél oferése servísu médicu?* |
| Doctor, tengo un dolor muy fuerte en el estómago | Doutor, tenho uma dor muito forte no estômago<br>*Doutór téñu úma dór múi(n)tu fortt nu eshtómagu* |
| Por favor, es grave. Necesito que envíen una ambulancia | Por favor, é grave. Preciso que enviem uma ambulância<br>*Pur favór é gráve, presíssu que invíem úma ambulánsia* |
| Quiero pedir cita con el doctor | Quero marcar uma consulta com o doutor<br>*Quéru marcár úma consúlta com u doutór* |
| ¿A qué hora me puedo pasar? | A que horas posso passar?<br>*A que órash pósu pasár?* |
| ¿Dónde está la consulta del doctor? | Onde está a consulta do doutor?<br>*Óndd eshtá a consúlta du doutór?* |
| Tengo un dolor muy fuerte en la cabeza | Tenho uma dor muito forte na cabeça<br>*Téñu úma dór múi(n)tu fortt na cabésa* |
| Me ha picado un insecto | Picou-me um insecto<br>*Picoumm u(m) insétu* |
| Tengo mucha fiebre | Tenho muita febre<br>*Téñu múi(n)ta fébre* |

Si te atienden para realizar alguna cura o semejante, es posible que tengas que pagar por la atención recibida.

| | |
|---|---|
| Me duelen todos los huesos | Doem-me todos os ossos<br>*Doemm tódush ush ósush* |
| Soy alérgico a los antibióticos | Sou alérgico aos antibióticos<br>*Sou alérgicu aush antibióticush* |
| Creo que me he roto una pierna | Acho que parti uma perna<br>*Áshu que partí úma perna* |
| El año pasado tuve un infarto | O ano passado tive um infarto<br>*U ánu pasádu tive u(m) infártu* |
| Estoy embarazada de ocho meses | Estou grávida de oito meses<br>*Eshtou grávida dd óitu méssesh* |
| ¿Cuánto cuesta la consulta? | Quanto custa a consulta?<br>*Cuántu cúshta a cunsúlta?* |

## Lo que puedes oír

| | |
|---|---|
| Passe | Pase / adelante |
| O que lhe dói? | ¿Qué le duele? |
| Tem náuseas? | ¿Tiene náuseas? |
| Deve ir imediatamente para o hospital | Debe ir inmediatamente al hospital |
| Antes deve marcar uma consulta | Antes tiene que pedir cita |
| Tomou-se a temperatura? | ¿Se ha tomado la temperatura? |
| Há quanto tempo que lhe dói? | ¿Desde cuándo le duele? |
| Dispa-se e deite-se na maca | Desvístase y échese sobre la camilla |
| Respire profundamente com a boca / o nariz | Respire profundamente por la boca / la nariz |
| Diga trinta e três | Diga treinta y tres |
| Tossa | Tosa |
| Não se mexa | No se mueva |
| Abra a boca e mostre a língua | Abra la boca y saque la lengua |
| O que jantou ontem à noite? | ¿Qué comió ayer por la noche? |
| Dói-lhe aqui? | ¿Le duele cuando le toco aquí? |
| Aconteceu-lhe outras vezes? | ¿Le ha sucedido otras veces? |
| Há quanto tempo que não se faz uma revisão? | ¿Hace cuánto tiempo que no se hace un chequeo? |
| Tem anemia? | ¿Tiene anemia? |
| É melhor que faça todas as provas | Es mejor que se haga todas las pruebas |
| Vou pedir uma radiografia | Le pediré una radiografía |
| É vegetariano? | ¿Es usted vegetariano? |
| Está vacinado contra o tétano / a hepatite B? | ¿Está vacunado contra el tétanos / la hepatitis B? |
| Agora vou tomar-lhe a tensão | Ahora le tomaré la tensión |

# 6 Emergencias y salud

| | |
|---|---|
| Bem, já se pode vestir | Bien, ya puede vestirse |
| É alérgico a alguma coisa? | ¿Es alérgico a algo? |
| Deve fazer-se uma análise de sangue / de urina / de fezes | Debe hacerse un análisis de sangre / de orina / de heces |
| É melhor que vá a um especialista, aconselho-lhe um | Es mejor que vaya a un especialista, le aconsejo uno |
| Deve ficar em cama pelo menos dois dias | Debe guardar cama durante al menos dos días |
| É uma doença muito contagiosa, deve evitar o contacto com as crianças. | Es una enfermedad muy contagiosa, debe evitar el contacto con los niños |
| Aqui tem a receita. Deve seguir um tratamento rico em ferro | Tome la receta. Debe seguir un tratamiento a base de hierro |
| Tome estes comprimidos três vezes por dia e volte daqui a uma semana | Tome estos comprimidos tres veces al día y vuelva dentro de una semana |
| Lamento, mas deve internar no hospital o antes possível | Lo siento, pero debe ingresar en el hospital lo antes posible |

**Partes del cuerpo**

## Palabras que puedes necesitar

| | | |
|---|---|---|
| amígdalas | amígdalas | *amígdalash* |
| arteria | artéria | *artéria* |
| articulación | articulação | *articulasãu* |
| axila | axila | *acsíla* |
| barbilla / mentón | queixo | *queishu* |
| bazo | baço | *básu* |
| boca | boca | *bóca* |
| brazo | braço | *brásu* |
| bronquios | brônquios | *brónquiush* |
| cabeza | cabeça | *cabésa* |
| cadera | bacia | *basía* |
| caja craneal | caixa cranial | *caisha cranial* |
| capilar | capilar | *capilár* |
| cerebro | cérebro | *sérebru* |
| codo | cotovelo | *cutuvélu* |
| columna vertebral | coluna vertebral | *culúna vertebrál* |
| corazón | coração | *curasãu* |
| costado | costado | *cushtádu* |
| costilla | costela | *cushtéla* |
| cráneo | crânio | *cróniu* |

| | | |
|---|---|---|
| cuello | pescoço | *peshcósu* |
| dedo | dedo | *dédu* |
| diente | dente | *dénte* |
| encía | gengiva | *gengíva* |
| esófago | esófago | *isófagu* |
| espalda | costas | *cóshtash* |
| espina dorsal | espinha dorsal | *espiña dursál* |
| estómago | estômago | *eshtómagu* |
| fémur | fémur | *fémur* |
| frente | testa | *téshta* |
| garganta | garganta | *gargánta* |
| glándula | glândula | *glándula* |
| hígado | fígado | *fígadu* |
| hombro | ombro | *ómbru* |
| hueso | osso | *ósu* |
| ingle | virilha | *virílla* |
| intestino | intestino | *inteshtinu* |
| labio | lábio | *lábiu* |
| lengua | língua | *língua* |
| mandíbula | mandíbula | *mandíbula* |
| mano | mão | *mãu* |
| mejilla | face | *fáse* |
| muela | dente | *dénte* |
| muela del juicio | dente do siso | *dénte du síssu* |
| muñeca | pulso | *púlsu* |
| músculo | músculo | *múshculu* |
| nariz | nariz | *narish* |
| nervio | nervo | *nérvu* |
| nuca | nuca | *núca* |
| ojo | olho | *óllu* |
| oreja | orelha | *urélla* |
| pantorrilla | barriga da perna | *barríga da pérna* |
| párpado | pálpebra | *pálpebra* |
| pelvis | pelve | *pélve* |
| pene | pénis | *pénish* |
| pie | pé | *pé* |
| piel | pele | *péle* |
| pierna | perna | *pérna* |
| pulmón | pulmão | *pulmãu* |
| pupila | pupila | *pupíla* |
| riñones | rins | *rinsh* |
| rodilla | joelho | *juéllo* |

# 6 Emergencias y salud

| | | |
|---|---|---|
| sangre | sangue | *sángu* |
| seno | mama | *máma* |
| tendón | tendão | *tendãu* |
| tímpano | tímpano | *tímpanu* |
| tobillo | tornozelo | *turnussélu* |
| tórax | tórax | *tóracs* |
| tripa | tripa | *trípa* |
| uña | unha | *úña* |
| útero | útero | *úteru* |
| vagina | vagina | *vagína* |
| vena | veia | *véia* |
| vértebra | vértebra | *vértebra* |

**Enfermedades y síntomas**

## Palabras que puedes necesitar

| | | |
|---|---|---|
| abceso | abcesso | *absésu* |
| acidez | acidez | *asidésh* |
| agotamiento nervioso | esgotamento nervoso | *eshgutaméntu nervóssu* |
| alergia | alergia | *alergía* |
| amigdalitis | amigdalite | *amigdalíte* |
| anemia | anemia | *anemía* |
| angina | angina | *angína* |
| apendicitis | apendicite | *apendisíte* |
| ardor de estómago | ardor no estômago | *ardór nu eshtómagu* |
| artritis | artrite | *artríte* |
| artrosis | artrose | *artrósse* |
| asma | asma | *áshma* |
| bronquitis | bronquite | *bronquíte* |
| cálculo | cálculo | *cálculu* |
| callo | calo | *cálu* |
| catarro | catarro | *catárru* |
| cistitis | cistite | *sistíte* |
| colapso | colapso | *culápsu* |
| cólera | cólera | *cólera* |
| cólico | cólica | *cólica* |
| colitis | colite | *colíte* |
| congestión | congestão | *congeshtãu* |
| contagioso | contagioso | *contagióssu* |
| contusión | contusão | *contussãu* |

| | | |
|---|---|---|
| crisis de ansiedad | crise de ansiedade | *crísse dd ansiedádd* |
| debilidad | fraqueza | *franquéssa* |
| desgarro | desgarro | *deshgárru* |
| desmayo | desmaio | *deshmáiu* |
| diabetes | diabetes | *diabétesh* |
| disentería | disenteria | *dissentería* |
| dolor de garganta / cabeza | dor de garganta / cabeça | *dor dd gargánta / cabésa* |
| envenenamiento | envenenamento | *envenenaméntu* |
| escalofríos | arrepios | *arrepíush* |
| escarlatina | escarlatina | *eshcarlatína* |
| esguince | entorse | *entórse* |
| excoriación | escoriação | *eshcoriasãu* |
| fiebre | febre | *fébre* |
| gastritis | gastrite | *gashtríte* |
| gripe | gripe | *grípe* |
| hemorragia | hemorragia | *emorragía* |
| hemorroides | hemorroides | *emorroídesh* |
| hepatitis viral | hepatite viral | *epatíte virál* |
| herida | ferida | *ferída* |
| hernia | hérnia | *érnia* |
| hinchazón | inchação | *inshasãu* |
| indigestión | indigestão | *indigeshtãu* |
| infarto | infarto | *infártu* |
| infección | infecção | *infesãu* |
| insolación | insolação | *insolasãu* |
| insomnio | insónias | *insóniash* |
| intoxicación | intoxicação | *intoshicasãu* |
| jaqueca | enxaqueca | *enshaquéca* |
| lesión | lesão | *lessãu* |
| mareo | tonturas | *tonturash* |
| meningitis | meningite | *meningíte* |
| náuseas | náuseas | *náusseash* |
| nefritis | nefrite | *nefrite* |
| neurálgia | neuralgia | *neuralgía* |
| otitis | otite | *otíte* |
| paperas | papeiras | *papeirash* |
| picadura de insecto | picada de insecto | *picada de insétu* |
| presión alta / baja | pressão alta / baixa | *presãu álta / baisha* |
| pulmonía | pulmonia | *pulmonía* |
| quemadura | queimadura | *queimadúra* |
| resfriado | resfriado | *rresshfriádu* |
| reumatismo | reumatismo | *rreumatishmu* |

| sarampión | sarampo | *sarámpu* |
|---|---|---|
| sida | sida | *sída* |
| taquicardia | taquicardia | *taquicárdia* |
| tétanos | tétano | *tétanu* |
| tifus | tifo | *tífu* |
| tos | tosse | *tóse* |
| tumor | tumor | *tumór* |
| úlcera | úlcera | *úlsera* |
| varicela | varicela | *variséla* |
| vértigo | vertigens | *vertijãins* |
| viruela | varíola | *varíula* |
| vómitos | vómitos | *vómitush* |

## 6.5 Hospital

**En el hospital.** El funcionamiento de los hospitales públicos en Portugal es similar al de España, no obstante debemos decir que en algunos casos se aprecian ciertas carencias. Los mejores hospitales se localizan principalmente en las grandes ciudades. Poseen un servicio de urgencias abierto las 24 horas del día. Algunas clínicas u hospitales privados permanecen abiertos de 8.00 a 20.00. Con el formulario E 111 no tendrás ningún problema en ser atendido en cualquier hospital público y tendrás el mismo derecho a asistencia sanitaria que cualquier ciudadano portugués. !

### Frases útiles para expresarte

| | |
|---|---|
| ¿Me tienen que ingresar? | Vou ser internado?<br>*Vou sér internádu?* |
| ¿Dónde están las urgencias? | Onde estão as urgências?<br>*Óndd eshtãu ash urgénsiash?* |
| Mi mujer ha sufrido un desmayo | A minha esposa desmaiou<br>*A mílña eshpóssa deshmaiou* |
| ¿Cuánto tiempo me quedaré en el hospital? | Quanto tempo devo ficar no hospital?<br>*Cuántu témpu devu ficár nu ushpitál?* |
| ¿Cuándo me operarán? | Quando vou ser operado?<br>*Cuándu vou ser uperádu?* |

Un gran número de médicos y enfermeros españoles trabaja actualmente en hospitales y centros de salud portugueses.

| | |
|---|---|
| ¿Es muy grave? | É muito grave?<br>*É múi(n)tu gráve?* |
| ¿Podría estar solo en una habitación? | Podia ficar só num quarto?<br>*Pudía ficár só num cuártu?* |
| ¿Pueden avisar a mi familia? | Por favor, podiam avisar minha família?<br>*Pur favór, pudíam avisár míña família?* |
| ¿Se puede quedar un familiar conmigo? | Pode ficar comigo um familiar?<br>*Póde ficár cumígu u(m) familiár?* |
| Quería visitar a un amigo que está ingresado en este hospital | Queria visitar um amigo que está internado neste hospital<br>*Quería vissitár u(m) amígu que eshtá internádu néshte ushpitál* |
| No sé su número de habitación, pero se llama Antonio Martínez | Não sei o seu número de quarto mas o seu nome é Antonio Martínez<br>*Nãu sei u seu númeru dd cuártu mash u seu nóme é antóniu martínesh* |
| Estoy embarazada de cinco meses y tengo una hemorragia | Estou grávida de cinco meses e tenho uma hemorragia<br>*Eshtou grávida dd síncu messesh i téñu úma emurragía* |
| ¿Puede hacerme un informe de lo que ha pasado para mi compañía de seguros? | Podia fazer um relatório do que aconteceu para apresentá-lo à minha companhia de seguros?<br>*Pudía fassér u(m) relatóriu du que aconteséu prá apressentálu a míña cumpañía de segúrush?* |

## Lo que puedes oír

| | |
|---|---|
| Pode ir embora, não é nada grave | Puede irse, no es nada grave |
| Deve ser internada imediatamente | Debe ingresar inmediatamente |
| Amanhã vai ser operado | Mañana será operado |
| Vou receitar-lhe um antibiótico | Voy a recetarle un antibiótico |
| Deve tomar estes comprimidos três vezes por dia | Debe tomar estas pastillas tres veces al día |
| Beba muitos líquidos e coma alimentos ligeiros | Beba muchos líquidos y coma alimentos ligeros |
| Lamento mas o horário de visitas já acabou | Lo siento, pero el horario de visitas ha terminado |
| Devemos pôr um gesso no seu braço | Tenemos que escayolarle el brazo |
| Está grávida? | ¿Está embarazada? |

# 6 Emergencias y salud

## Lo que puedes ver

| | |
|---|---|
| Para os elevadores | Hacia los ascensores |
| Bar | Bar |
| Capela | Capilla |
| Cozinha | Cocina |
| Informação | Información |
| Entrada | Entrada |
| Pavilhão | Pabellón |
| Perigo: radiações | Peligro: radiaciones |
| Consulta prévia | Cita previa |
| Urgências | Urgencias |
| Sala de espera | Sala de espera |
| Silêncio, por favor | Silencio, por favor |
| Saída de emergência | Salida de emergencia |
| É proibido fumar | Prohibido fumar |

**Partes del hospital**

## Palabras que puedes necesitar

| | | |
|---|---|---|
| cardiología | cardiologia | *cardiulugía* |
| cirugía | cirurgia | *sirurgía* |
| emergencias | emergências | *emergénsiash* |
| enfermería | enfermaria | *enfermaría* |
| ginecología | ginecologia | *gineculugía* |
| maternidad | maternidade | *maternidádd* |
| ortopedia | ortopédia | *urtupedía* |
| pediatría | pediatria | *pediatría* |
| sala de reanimación | sala de reanimação | *sala de rreanimasãu* |
| urología | urologia | *urulugía* |
| uvi | uci | *úsi* |

## 6.6 Farmacia

**En la farmacia**

## Frases útiles para expresarte

| | |
|---|---|
| ¿Dónde queda la farmacia más cercana? | Onde fica a farmácia mais próxima?<br>*Óndd fíca a farmásia maish prósima?* |

| | |
|---|---|
| Me duele mucho el estómago. ¿Podría darme algún medicamento? | Tenho muitas dores no estômago. Podia dar-me algum medicamento? *Téñu muitash dóresh nu eshtómagu, pudía darmm algúm medicaméntu?* |
| Me duele mucho la cabeza | Dói-me muito a cabeça *Doimm múi(n)tu a cabésa* |
| ¿Tiene alguna pomada para las picaduras de insectos? | Tem alguma pomada para as picadas de insectos? *Tãim algúma pumáda prá ash picadash dd insétush?* |
| Quería un jarabe para la tos | Queria um xarope para a tosse *Quería u(m) sharópe prá a tóse* |
| ¿Durante cuántos días debo tomar el medicamento? | Quantos dias tenho de tomar o medicamento? *Cuántush díash téñu dd tumár u medicaméntu?* |
| ¿Tienen esta medicina? | Têm este remédio? *Teiem éshte remédiu?* |
| ¿Conoce algun enfermero que me pueda curar estas heridas? | Conhece algum enfermeiro que me possa curar estas feridas? *Cuñése algúm enfermeiru que me pósa curár eshtash férídash?* |
| ¿Qué contraindicaciones tiene este medicamento? | Quais são as contraindicações do medicamento? *Cuáish sãu ash contraindicasóesh du medicaméntu?* |
| ¿Puede venderme el antibiótico sin receta? | Podia vender-me o antibiótico sem receita? *Pudía vendermm u antibióticu sãim rreséita?* |
| ¿Tiene productos de homeopatía? | Tem produtos de homeopatia? *Tãim produtush dd omiupatía?* |
| ¿Tiene algo para el insomnio? | Tem alguma coisa para as insónias? *Tãim alguma coíssa prá ash insóniash?* |
| ¿Cuánto es? | Quanto é? *Cuántu é?* |

## Lo que puedes oír

| | |
|---|---|
| O que deseja? | ¿Qué desea? |
| Aconselho-lhe a tomar estas pílulas | Le aconsejo que se tome estas píldoras |

# 6 Emergencias y salud

| | |
|---|---|
| Tem de tomar estas pílulas três vezes por dia antes de cada refeição | Deberá tomar estas píldoras tres veces al día, antes de cada comida |
| Lamento imenso, mas este remédio não pode ser vendido sem receita | Lo siento, esta medicina no se puede vender sin receta |
| Atenção, deve agitá-lo antes de usar | Atención, debe agitarlo antes de usarlo |
| Quer mais alguma coisa? | ¿Quiere alguna otra cosa? |
| São trinta euros | Son treinta euros |

**Medicamentos**

## Palabras que puedes necesitar

| | | |
|---|---|---|
| agua oxigenada | água oxigenada | *água ocsigenáda* |
| alcohol | álcool | *álcool* |
| analgésico | analgésico | *analgéssicu* |
| antibiótico | antibiótico | *antibióticu* |
| anticonceptivo | anticonceptivo | *anticonsetívu* |
| antipirético | antipirético | *antipiréticu* |
| aspirina | aspirina | *ashpirína* |
| bicarbonato | bicarbonato | *bicarbunátu* |
| cápsula | cápsula | *cápsula* |
| colirio | colírio | *culíriu* |
| comprimido | comprimido | *cumprimídu* |
| desinfectante | desinfectante | *desinfetántt* |
| gasa | penso | *pénsu* |
| gotas | gotas | *gótash* |
| inhalaciones | inhalações | *inalasóesh* |
| insulina | insulina | *insulína* |
| jarabe | xarope | *sharópe* |
| jeringuilla | seringa | *seríngа* |
| laxante | laxante | *lacsántt* |
| pastilla | comprimido | *cumprimídu* |
| píldora | pílula | *pílula* |
| pomada | pomada | *pumáda* |
| preservativo | preservativo | *presservatívu* |
| prospecto | prospécto | *prushpéto* |
| sedante | sedativo | *sedatívu* |
| somnífero | sonífero | *soníferu* |
| supositorio | supositório | *supossitóriu* |
| termómetro | termómetro | *termómetru* |
| tranquilizante | tranquilizante | *tranquilissántt* |
| vacuna | vacina | *vasína* |

| | | |
|---|---|---|
| venda | ligadura | *ligadúra* |
| vitamina | vitamina | *vitamína* |

**En las recetas de los medicamentos**

## Lo que puedes ver

| | |
|---|---|
| Agitar antes de usar | Agitar antes de usar |
| Alérgico | Alérgico |
| Indicações | Indicaciones |
| Consulte um médico | Consulte a un médico |
| Contraindicações | Contraindicaciones |
| Duas vezes por dia | Dos veces al día |
| Ler as indicações | Leer las indicaciones |
| Não ingerir bebidas alcoólicas | No ingerir bebidas alcohólicas |
| Cada dois / três dias | Cada dos / tres días |
| Patologia | Patología |
| Durante uma semana | Durante una semana |
| Por via oral | Por vía oral |
| Posologia | Posologia |
| Antes / depois das refeições | Antes / después de las comidas |
| Tratamento | Tratamiento |

# 6.7 Dentista

**En el dentista.** En Portugal, el servicio de odontología es ofrecido por la seguridad social, aunque, como en España, también existen clínicas privadas. !

## Frases útiles para expresarte

| | |
|---|---|
| ¿Me podría aconsejar un buen dentista? | Podia aconselhar-me um bom dentista?<br>*Pudía acunsellármm u(m)bom dentíshta?* |
| Tengo bastante urgencia | Tenho muita urgência<br>*Téñu múi(n)ta urgénsia* |
| Tengo un fuerte dolor de muelas | Tenho uma forte dor de dentes<br>*Téñu úma fórte dór dd déntesh* |

En los últimos años, ha crecido el número de dentistas brasileños que han abierto consulta en Portugal y son muy reconocidos por su gran profesionalidad en este campo.

# Emergencias y salud

| | |
|---|---|
| Tengo una caries en el diente | Tenho uma cárie no dente<br>*Téñu úma cárie un déntt* |
| Me duele mucho la muela del juicio | Dói-me muito o dente do siso<br>*Dóimm múi(n)tu u dentt du síssu* |
| Se me ha caido el empaste de una muela | Caiu o chumbo de um dos dentes<br>*Caíu u shúmbu dd u(m) dush déntesh* |
| ¿Me puede hacer una radiografía? | Podia fazer-me uma radiografia?<br>*Púdia fassérmm úma rradiugrafía?* |
| Por favor, no me ponga anestesia | Por favor, não me ponha anestesia<br>*Pur favór nãu mm póña aneshtessía* |
| ¿Puede arreglarme la dentadura postiza? | Podia arranjar-me a dentadura postiça?<br>*Púdía arranjármm a dentadúra pushtísa?* |
| ¿Cuánto cuesta una limpieza bucal? | Quanto custa uma limpeza dentária?<br>*Cuántu cushta úma limpéssa dentária?* |
| ¡Me ha dolido mucho! | Doeu-me muito!<br>*Dueumm múi(n)tu!* |
| ¡No, no quiero que me saque la muela! | Não, não quero que tire o dente!<br>*Nãu, nãu quéru que tíre u dentt!* |

## Lo que puedes oír

| | |
|---|---|
| Por favor, sente-se aí | Por favor, siéntese ahí |
| Abra a boca | Abra la boca |
| Agora vou pôr-lhe a anestesia | Ahora le pondré la anestesia |
| Devo matar o nervo do dente | Debo matarle el nervio del diente |
| Lamento muito mas temos de tirar o dente | Lo siento, pero tenemos que sacar el diente |
| Este dente tem uma cárie, quer que ponha uma obturação? | Esta muela tiene una caries, ¿quiere que le ponga un empaste? |
| Por favor, mantenha a boca bem aberta | Por favor, mantenga la boca bien abierta |
| Enxague a boca | Enjuáguese la boca |
| Fique tranquilo, não vou fazer-lhe mal. | Esté tranquilo, no le haré daño |
| Ainda lhe dói? | ¿Sigue doliéndole? |
| Doeu-lhe muito? | ¿Le ha dolido mucho? |
| Já terminei. Pode ir embora | Hemos acabado, ya puede irse |

## Palabras que puedes necesitar

| | | |
|---|---|---|
| absceso | abcesso | *absésu* |
| anestesia | anestesia | *aneshtessía* |

| | | |
|---|---|---|
| canino | canino | *canínu* |
| caries | cárie | *cárie* |
| dentadura postiza | dentadura postiça | *dentadúra pushtísa* |
| diente | dente | *dénte* |
| diente de leche / | dente de leite / | *déntt dd leite /* |
| muela del juicio | dente do siso | *déntt du síssu* |
| encía | gengiva | *gengíva* |
| extracción | extracção | *eshtrasãu* |
| flemón | fleimão | *fleimãu* |
| hilo dental | fio dental | *fiu dentál* |
| incisivo | incisivo | *insissívu* |
| infección | infecção | *infesãu* |
| limpieza bucal | limpeza dentária | *limpéssa dentária* |
| matar el nervio | matar o nervo | *matá u nérvu* |
| paladar | palato | *palátu* |
| pasta de dientes | pasta de dentes | *pashta dd déntesh* |
| perforar | perfurar | *perfurár* |
| prevención | prevenção | *prevensãu* |
| prótesis | prótese | *prótesse* |
| puente | ponte | *póntt* |
| raíz | raiz | *raísh* |
| sarro | tártaro | *tártaru* |

## 6.8 Higiene

**Adquirir productos para nuestra higiene personal**

### Frases útiles para expresarte

| | |
|---|---|
| ¿Dónde puedo comprar compresas? | **Onde posso comprar pensos higiénicos?**<br>*Óndd pósu cumprár pensush igiénicush?* |
| Quería un paquete de rollos de papel higiénico | **Queria um pacote de rolos de papel higiénico**<br>*Quería u(m) pacóte dd rrólush dd papél igiénicush* |
| ¿Tienen crema solar de protección total? | **Têm creme solar de protecção total?**<br>*Teiem créme sulár dd protecsãu tutál?* |
| ¿Esta crema es adecuada para los niños? | **Este creme é adequado para as crianças?**<br>*Éshte crémm é adecuádo prásh criánsash* |

# 6 Emergencias y salud

| | |
|---|---|
| Quería un desinfectante para el baño | **Queria um desinfectante para a casa de banho**<br>*Quería u[m] dessinfectántt prá a cássa dd báñu* |
| ¿Cuánto cuesta este champú para cabellos grasos? | **Quanto custa este champô para cabelos oleosos?**<br>*Cuántu cúshta éshte shampó prá cabélush ulióssush?* |

## Palabras que puedes necesitar

| | | |
|---|---|---|
| algodón hidrófilo | algodão hidrófilo | *algudãu idrófilu* |
| bastoncitos de algodón | cotonetes | *cutunétesh* |
| cepillo de dientes | escova de dentes | *eshcóva dd déntts* |
| champú | champô | *shampó* |
| compresas | pensos higiénicos | *pénsush igiénicush* |
| crema solar | creme solar | *créme sulár* |
| desodorante | desodorizante | *dessudurissántt* |
| detergente | detergente | *detergéntt* |
| esponja | esponja | *eshpónja* |
| espuma de afeitar | espuma de barbear | *eshpúma dd barbiár* |
| pañales | fraldas | *fraldash* |
| pañuelos de papel | lenços de papel | *lénsush dd papél* |
| papel higiénico | papel higiénico | *papél igiénicu* |
| pasta de dientes | pasta de dentes | *páshta dd déntesh* |
| pedicura | pedicura | *pidicúra* |
| perfume | perfume | *perfúmm* |
| quitamanchas | tira-nódoas | *tíranóduash* |
| tampones | tampões | *tampóesh* |
| tijeras pequeñas | tesoura pequena | *tessoura piquéna* |

# Lo que necesitas saber

## Unidades de medida

### Peso

| ½ kilo | meio quilo | *méiu quílu* |
|---|---|---|
| ¾ de kilo | três quartos de quilo | *trésh cuártush dd quílu* |
| 1 kilo | um quilo | *u(m) quílu* |
| 50 gramos | cincuenta gramas | *sincuenta grámash* |
| gramo | grama | *gráma* |
| peso bruto | peso bruto | *péssu brútu* |
| peso neto | peso líquido | *péssu líquidu* |
| tonelada | tonelada | *tuneláda* |

### Longitud

| altura | altura | *altúra* |
|---|---|---|
| anchura | largura | *largúra* |
| área | área | *ária* |
| centímetro | centímetro | *sentímetru* |
| centímetro cuadrado | centímetro cuadrado | *sentímetru cuadrádu* |
| centímetro cúbico | centímetro cúbico | *sentímetro cúbicu* |
| decímetro | decímetro | *desímetro* |
| hectárea | hectare | *hectár* |
| kilómetro | quilómetro | *quilómetru* |
| kilómetro cuadrado | quilómetro quadrado | *quilómetru cuadrádu* |
| metro | metro | *métro* |
| metro cuadrado | metro quadrado | *métru cuadrádu* |
| metro cúbico | metro cúbico | *métru cúbicu* |
| milímetro | milímetro | *milímetru* |
| milla | milha | *mílla* |
| peso | peso | *pésu* |
| profundidad | profundidade | *prufundidádd* |

### Capacidad

| cuarto de litro | quarto de litro | *cuártu de lítru* |
|---|---|---|
| medio litro | meio litro | *méiu lítru* |
| un litro | um litro | *u(m) lítru* |

# Lo que necesitas saber

## Tallas

Escoger una prenda confiando solamente en «el ojo» puede ser uno de los mayores errores a la hora comprar ropas y complementos, especialmente en el extranjero. Es importante acordarse de la numeración de las tallas, aunque esta pueda cambiar de un país a otro, así como en función del fabricante. Asimismo, la diversidad de patrones de numeración y letras para identificar el tamaño de las prendas tiende a perder espacio, frente a la unificación de criterios. Los productos se hacen para todo el mundo, y ya no solo para una región exclusiva; por ello, actualmente, muchos fabricantes de zapatos y ropas ya incluyen en sus etiquetas tres tallas distintas, según las zonas en las que se distribuyen. No obstante, entre Brasil, Portugal y España existe una correspondencia casi directa en las tallas de ropas de caballero, mujer y niños, habiendo solamente una diferencia en Brasil en cuanto a las tallas de zapatos.

| Mujeres - vestidos | | | | | | |
|---|---|---|---|---|---|---|
| Brasil / Portugal | 38 | 40 | 42 | 44 | 46 | 48 |
| España | 38 | 40 | 42 | 44 | 46 | 48 |

| Mujeres - zapatos | | | | | | |
|---|---|---|---|---|---|---|
| Brasil | — | 33 | 34 | 35 | 36 | 37 |
| Portugal | 34 | 35 | 36 | 37 | 38 | 39 |
| España | 34 | 35 | 36 | 37 | 38 | 39 |

| Hombres - trajes/pantalones | | | | | | | |
|---|---|---|---|---|---|---|---|
| Brasil / Portugal | 40 | 42 | 44 | 48 | 50 | 52 | 54 |
| España | 40 | 42 | 44 | 48 | 50 | 52 | 54 |

| Hombres - camisas | | | | | | |
|---|---|---|---|---|---|---|
| Brasil / Portugal | 38 | 40 | 42 | 44 | 46 | 50 |
| España | 38 | 40 | 42 | 44 | 46 | 50 |

| Hombres - zapatos | | | | | | |
|---|---|---|---|---|---|---|
| Brasil | 38 | 39 | 40 | 41 | 42 | 43 |
| Portugal | 40 | 41 | 42 | 43 | 44 | 45 |
| España | 40 | 41 | 42 | 43 | 44 | 45 |

| Niños - zapatos | | | | | | | | | |
|---|---|---|---|---|---|---|---|---|---|
| Brasil | 16 | 17 | 18 | 19 | 20 | 21 | 22 | 23 | 24 |
| Portugal | 18 | 19 | 20 | 21 | 22 | 23 | 24 | 25 | 26 |
| España | 18 | 19 | 20 | 21 | 22 | 23 | 24 | 25 | 26 |

| **Niños - ropa** | |
|---|---|
| Brasil / Portugal | Las medidas son la edad de los niños |
| España | |

## Fechas

### Días

El portugués es la única lengua románica que registra en números ordinales los días de la semana, de lunes a viernes, mientras que el español recurre a referencias planetarias: al sol, a la luna, etc.

| | | |
|---|---|---|
| lunes | **segunda-feira** | *sgúnda-féira* |
| martes | **terça-feira** | *térsa-féira* |
| miércoles | **quarta-feira** | *cuárta-féira* |
| jueves | **quinta-feira** | *quínta-féira* |
| viernes | **sexta-feira** | *séishta-féira* |
| sábado | **sábado** | *sábadu* |
| domingo | **domingo** | *dumíngu* |

### Meses

| | | |
|---|---|---|
| enero | **janeiro** | *gianéiru* |
| febrero | **fevreiro** | *fevréiru* |
| marzo | **março** | *mársu* |
| abril | **abril** | *abríl* |
| mayo | **maio** | *máiu* |
| junio | **junho** | *júñu* |
| julio | **julho** | *júllu* |
| agosto | **agosto** | *agóshtu* |
| septiembre | **setembro** | *stémbru* |
| octubre | **outubro** | *outúbru* |
| noviembre | **novembro** | *nuvémbru* |
| diciembre | **dezembro** | *dessémbru* |

### Momentos en el tiempo

| | | |
|---|---|---|
| ¿Qué día es hoy? | **Quê dia é hoje?** | *Que día é óGi?* |
| Es 3 de octubre | **É 3 de outubro** | *É tresh dd outúbru* |
| Ayer | **Ontem** | *Óntãim* |
| Hoy | **Hoje** | *Ógi* |
| Mañana | **Amanhã** | *Amãñã* |
| La semana pasada | **Na semana passada** | *Na semãna pasáda* |
| La semana que viene | **Na semana que vem** | *Na semãna que vãin* |
| El año que viene | **No ano que vem** | *Nu ãnu que vãin* |

# Lo que necesitas saber

| | | |
|---|---|---|
| Todos los años | Todos os anos | *Tódush ush ãnush* |
| El fin de semana | No fim-de-semana | *Nu fi(m) dd semãna* |

**Las estaciones**

| | | |
|---|---|---|
| primavera | Primavera | *primavera* |
| verano | Verão | *vrãu* |
| otoño | Outono | *outónu* |
| invierno | Inverno | *invérnu* |

**Días festivos**

| | | |
|---|---|---|
| 1 enero | Dia de Ano Novo | *Dia dd Anu Nóvu* |
| 25 de abril (PT) | Revolução dos Cravos | *Jevulusãu dush Crávush* |
| 1 de mayo | Dia do trabalhador | *Dia du traballadór* |
| 10 de junio (PT) | Dia de Portugal | *Dia dd Purtugál* |
| 14 de junio | Corpo de Deus | *Córpu dd Deush* |
| 7 de septiembre (BR) | Independência | *Îndepêndênsia* |
| 5 de octubre (PT) | Dia da Implantação da República | *Dia da Implantasãu da Jepública* |
| 12 de octubre (BR) | Nossa Senhora Aparecida (Patrona de Brasil) | *Nosa Señora di Aparesida* |
| 1 de noviembre | Dia de Todos os Santos | *Dia dd Tódush ush Santush* |
| 15 de noviembre (BR) | Proclamação da República | *proclamasãu da Jepública* |
| 8 de diciembre | Imaculada Conceição | *Imaculáda Conseisãu* |
| 25 de diciembre | Natal | *Natál* |

## Horas y partes del día

| | | |
|---|---|---|
| las doce | meio-dia / meia-noite | *méiu-día / méia-nóitt* |
| las doce de la mañana | meio-dia | *méiu-día* |
| las doce de la noche | meia-noite | *méia-nóitt* |
| las doce y diez | meio-dia / meia-noite e dez | *méio-día / nóitt i desh* |
| las doce y cuarto | meio-dia / meia-noite e um quarto | *méio-día / nóitt i u(m) cuártu* |
| las doce y veinte | meio-dia / meia-noite e vinte | *méio-día / nóitt i vintt* |
| las doce y veinticinco | meio-dia / meia-noite e vinte e cinco | *méio-dia / nóitt i vintissíncu* |
| las doce y media | meio-dia / meia-noite e meia | *méio-dia / méia-nóitt i méia* |

| | | |
|---|---|---|
| la una menos veinticinco | são vinte e cinco para a uma | *sãu vintisíncu pra úma* |
| la una menos veinte | são vinte para a uma | *sãu vintt pra úma* |
| la una menos cuarto | é um quarto para a uma | *É u(m) cuártu pra úma* |
| la una menos diez | são dez para a uma | *sãu desh pra úma* |
| la una menos cinco | são cinco para a uma | *sãu síncu pra úma* |
| mañana | manhã | *mãñã* |
| tarde | tarde | *tárdd* |
| noche | noite | *nóitt* |
| madrugada | madrugada | *madrugáda* |

| | |
|---|---|
| ¿Qué hora es? | Quê horas são?<br>*Que orash sãu?* |
| Disculpe, ¿puede decirme la hora? | Desculpe, podia dizer-me que horas são?<br>*Deshculpp pudía dissermm que órash sãu?* |
| Es la una y cuarto | É uma e quinze<br>*É uma i quinsse* |
| Son las diez y media de la mañana | São dez e meia da manhã<br>*Sãu désh i méia da mañã* |
| Son las siete y veinte de la tarde | São sete e vinte da tarde<br>*Sãu sétt i víntt da tardd* |
| Es la una y diez de la madrugada | É uma e dez da madrugada<br>*É uma í desh da madrugáda* |
| Son las ocho en punto | São oito horas<br>*Sãu oítu órash* |

## Tiempo atmosférico

| | |
|---|---|
| ¿Qué tiempo hace? | Quê tempo está a fazer (PT) / fazendo (BR)?<br>*Que témpu eshtá a fassér / fassendo?* |
| Hace frío | Está frio (PT) / Faz frio (BR)<br>*Eshtá fríu / Fas fríu* |
| Hace calor | Está calor (PT) / Faz calor (Br)<br>*Eshtá calór / Fas calór* |
| Está lloviendo | Está a chover / Está chovendo<br>*Eshtá a chovér/ Eshtá chovéndu* |
| Hay niebla | Há nevoeiro<br>*Á nevuéiru* |

# Lo que necesitas saber

| | |
|---|---|
| Está nevando / nieva | **Está a nevar / nevando**<br>*Eshtá a nevár / nevãndo* |
| Hay hielo | **Há gelo**<br>*Á gélu* |
| Hay mucho viento | **Está muito vento**<br>*Eshtá muí(n)tu ventu* |
| Sopla el viento | **Sopra o vento**<br>*Sópra u véntu* |
| Hace sol | **Está sol**<br>*Eshtá sol* |
| Hace buen tiempo | **Faz bom tempo**<br>*Fásh bom témpu* |
| Hace mal tiempo | **Faz mal tempo**<br>*Fásh mal témpu* |
| Está nublado | **Está nublado**<br>*Eshtá nubládu* |
| Está despejado | **Está despejado**<br>*Está despeGiádu* |
| Estamos a un grado bajo cero | **Estamos a um grau abaixo de zero**<br>*Eshtámush a u(m) grau abaixu de sséru* |

**Expresión de la temperatura**

| **Grados** | | | | | | | | | |
|---|---|---|---|---|---|---|---|---|---|
| Centígrados | 0 | 5 | 10 | 15 | 20 | 25 | 30 | 35 | 38 |
| Fahrenheit | 32 | 41 | 50 | 59 | 68 | 77 | 86 | 95 | 100 |

# Diccionario de viaje

# español-portugués

**abajo** abaixo *[abaisho]*
**abandonar** abandonar *[abandonár]*
**abeja** abelha *[abélla]*
**abierto/-a** aberto/-a *[abértu/-a]*
**abogado/-a** advogado/-a *[advugádu/-a]*
**abrelatas** abridor de latas *[abridor dd latas]*
**abrigo** sobretudo *[sobretúdu]*
**abrir** abrir *[abrír]*
**aburrido/-a** aborrecido/-a *[abujesídu/-a]*
**acabar** acabar *[acabár]*
**acampar** acampar *[acampár]*
**accidente** acidente *[asidénte]*
**acento** sotaque *[sutáqu]*
**aceptar** aceitar *[aseitar]*
**acera** passeio *[paséiu]*
**ácido/-a** azedo/-a *[assédu/-a]*
**acompañar** acompanhar *[acumpañár]*
**acostarse** deitar-se *[deitárs]*
**acostumbrado/-a** habituado/-a *[abituádu/-a]*
**además** aliás *[aliásh]*
**admitir** admitir *[admitír]*
**afeitarse** fazer a barba *[fassér a bárba]*
**aficionado/-a** amador/-a *[amadór/-a]*
**afortunadamente** felizmente *[felishméntt]*
**afueras** arredores da cidade *[ajedóresh da sidádd]*
**agencia** agência *[aGéncia]*
**agradable** agradável *[agradável]*
**agradecer** agradecer *[agradesér]*
**agua** água *[água]*
**aguja** agulha *[agúlla]*
**agujero** buraco *[burácu]*
**ahí** aí *[aí]*
**ahogarse** afogar-se *[afugarsi]*
**ahora** agora *[agóra]*
**aire** ar *[ar]*
**alambre** arame *[aráme]*
**alarma** alarme *[alarme]*
**alcanzar** alcançar *[alcansár]*
**alcohol** álcool *[álcool]*
**alegre** alegre *[alégri]*
**alfabeto** alfabeto *[alfabétu]*
**alfiler** alfinete *[alfinétt]*
**alfombra** tapete *[tapétt]*
**algo** alguma coisa *[algúma coisa]*
**algodón** algodão *[algudãu]*
**alguien** alguém *[algãim]*
**alimento** alimento *[aliméntu]*
**almohada** almofada *[almufáda]*
**alojamiento** alojamento *[alujaméntu]*
**alquilar** alugar *[alugár]*
**alrededor** arredor *[arredór]*
**altar** altar *[altár]*
**alto/-a** alto/-a *[áltu/-a]*
**altura** altura *[altúra]*
**alumno/-a** aluno/-a *[alúnu/-a]*
**allá** além, lá *[alãim, lá]*
**allí** alí *[alí]*
**amable** amável *[amável]*
**amanecer** amanhecer *[amañesér]*
**amar** amar *[amár]*
**amargo/-a** amargo/-a *[amárgu/-a]*
**ambulancia** ambulância *[ambulánsia]*
**amenazar** ameaçar *[amiassár]*
**amigo/-a** amigo/-a *[amígu/-a]*
**amor** amor *[amór]*

# Diccionario de viaje

**amortiguador** amortecedor *[amurtesedór]*
**analgésico** analgésico *[analGéssicu]*
**ancho/-a** largo/-a *[largu/-a]*
**anciano/-a** idoso/-a *[idóssu/-a]*
**andar** andar *[andár]*
**anillo** anel *[anél]*
**animal** animal *[animál]*
**anoche** ontem à noite *[ontãim a noitt]*
**anochecer** anoitecer *[anoitesér]*
**ansioso/-a** ansioso/-a *[ansiossu/-a]*
**antebrazo** antebraço *[antebrásu]*
**antena** antena *[anténa]*
**anterior** anterior *[anteriór]*
**antes** antes *[ántesh]*
**anticuario** antiquário *[anticuáriu]*
**antiguo/-a** antigo/-a *[antígu/-a]*
**anuncio** anúncio *[anúnsiu]*
**apagar** apagar *[apagár]*
**aparcamiento** estacionamento *[eshtasiunaméntu]*
**aparcar** estacionar *[eshtasiunár]*
**apartamento** apartamento *[apartaméntu]*
**apellido** apelido / sobrenome (BR) *[apelídu / sobrenómi]*
**aplaudir** aplaudir *[aplaudír]*
**aplazar** adiar *[adiár]*
**apostar** apostar *[apushtár]*
**aprender** aprender *[aprendér]*
**aproximadamente** aproximadamente *[aprocsimadaméntt]*
**aquí** aqui *[aquí]*
**araña** aranha *[arãña]*
**árbol** árvore *[árvure]*
**arco** arco *[árcu]*
**arena** areia *[aréia]*
**armario** armário *[armáriu]*
**arreglar** arrancar *[ajancár]*
**arriba** acima *[asíma]*
**arte** arte *[árte]*
**artificial** artificial *[artifisiál]*
**artista** artista *[artíshta]*
**ascensor** elevador *[elevadór]*
**asegurar** assegurar *[asegurár]*
**asesinar** assassinar *[asasinár]*
**asiento** assento *[aséntu]*
**asistir** assistir *[asishtír]*
**áspero/-a** áspero/-a *[áshperu/-a]*
**aspirina** aspirina *[ashpirína]*
**asustar** assustar *[asushtár]*
**atardecer** entardecer *[entardesér]*
**atasco (tráfico)** engarrafamento *[engajafaméntu]*
**aterrizar** aterrar *[atejár]*
**atraco** assalto *[asáltu]*
**atrás** atrás *[atrásh]*
**atrasar** atrasar *[atrassár]*
**ausente** ausente *[ausénte]*
**autobús** camioneta *[camiunéta]*
**autocar** autocarro / ônibus (BR) *[autocáju / ónibus]*
**autopista** auto-estrada *[autueshtráda]*
**autoridad** autoridade *[auturidádd]*
**autoservicio** auto-serviço *[autoservíso]*
**avanzar** avançar *[avansár]*
**avenida** avenida *[avinída]*
**avergonzado/-a** envergonhado/-a *[enverguñádu/-a]*
**avería** avaria *[avaría]*
**aviso** aviso *[avíssu]*
**avispa** vespa *[véshpa]*
**ayer** ontem *[óntãim]*

**ayuda** ajuda *[aGiúda]*
**ayudar** ajudar *[aGiudár]*

**bahía** baía *[baía]*
**bailar** dançar *[dansár]*
**baile** dança *[dánsa]*
**bajar** descer *[deshér]*
**bajo/-a** baixo/-a *[baísha/-a]*
**balcón** varanda *[varãnda]*
**bañador** fato de banho / calção de banho (BR) *[fátu dd báñu / causão di bãñu]*
**bañarse** tomar banho *[tumár bãñu]*
**bañera** banheira *[bañera]*
**barandilla** corrimão *[cojimãu]*
**barato/-a** barato/-a *[barátu/-a]*
**barba** barba *[barba]*
**barrer** varrer *[vajér]*
**barrio** bairro *[baiju]*
**bastante** bastante *[bashtánte]*
**basura** lixo *[líxu]*
**batalla** batalha *[batálla]*
**batería** bateria *[batería]*
**beber** beber *[bebér]*
**beneficio** benefício *[benefísiu]*
**beso** beijo *[beiGiu]*
**biblioteca** biblioteca *[bibliutéca]*
**bicho** bicho *[bíshu]*
**bicicleta** bicicleta *[bisicléta]*
**bidé** bidé *[bidé]*
**bien** bem *[bãim]*
**bigote** bigode *[bigóde]*
**blando/-a** mole *[móle]*
**blusa** blusa *[blúsa]*
**boca** boca *[bóca]*
**bodega** adega *[adéga]*
**bolígrafo** caneta *[canéta]*
**bolsillo** bolso *[bólsu]*
**bomba** bomba *[bómba]*
**bombero** bombeiro *[bombeiru]*
**bombilla** lâmpada *[lámpada]*
**borracho/-a** bêbado/-a *[bébadu/-a]*
**bosque** bosque *[bóshque]*
**bote** pote *[póte]*
**botella** garrafa *[gajáfa]*
**botiquín** caixa de primeiros socorros *[caisha dd primérush sucójus]*
**botón** botão *[butãu]*
**braga** cuecas / calcinha (BR) *[cuécash / calsiña]*
**brazo** braço *[brásu]*
**broche** alfinete *[alfinétt]*
**broma** piada *[piáda]*
**bronceador** bronzeador *[bronssiadór]*
**brújula** bússola *[búsula]*
**bueno/-a** bom / boa *[bõm / boa]*
**bufanda** cachecol *[cashcól]*
**buscar** buscar / procurar *[bushcár / prucurár]*
**buzón** caixa de correio *[caisha dd cojéiu]*

**caballero** cavalheiro *[cavalleiru]*
**caballo** cavalo *[cavália]*
**cabello** cabelo *[cabélu]*
**cabeza** cabeça *[cabésa]*
**cabina (teléfono)** cabina (telefone) *[cabína (tlefóne)]*
**cable** cabo *[cábu]*
**cadera** quadril *[cuadríl]*
**caer(se)** cair *[caír]*
**cafetera** cafeteira *[cafetera]*

# Diccionario de viaje

**caja** caixa *[caisha]*
**cajón** gaveta *[gavéta]*
**calcetín** meia *[méia]*
**calculadora** máquina de calcular *[máquina dd calculár]*
**calefacción** aquecimento *[aquesiméntu]*
**calendario** calendário *[calendáriu]*
**calentar** aquecer *[aquesér]*
**calidad** qualidade *[cualidáde]*
**caliente** quente *[quénte]*
**calor** calor *[calór]*
**calzoncillo** cuecas *[cuécash]*
**calle** rua *[júa]*
**cama** cama *[cãma]*
**camarero/-a** empregado/-a de mesa / garçom (BR) *[empregádu/-a dd mésa / garsõm]*
**camarote** camarote *[camaróte]*
**cambiar** cambiar / mudar / trocar *[cambiár / mudár / trucár]*
**cambio** câmbio / mudança/ troco *[cámbiu / mudánsa / trócu]*
**camino** caminho *[camíñu]*
**camión** camião *[camiãu]*
**camisa** camisa *[camíssa]*
**camiseta** T-shirt / camiseta (BR) *[tshirt / camissa]*
**campana** sino *[sínu]*
**campesino/-a** camponês/-a *[campunésh / campunésa]*
**campo** campo *[cámpu]*
**canal** canal *[canál]*
**canción** canção *[cãnsãu]*
**cansado/-a** cansado/-a *[cansádu/-a]*
**cantante** cantor/-a *[cantór/-a]*
**cantar** cantar *[cantár]*
**cantidad** quantidade *[cuantidádd]*
**capilla** capela *[capéla]*
**capital** capital *[capitál]*
**cara** cara *[cára]*
**caramelo** rebuçado / bala (BR) *[rebusádu / bala]*
**carbón** carvão *[carvãu]*
**cárcel** prisão *[prissãu]*
**carne** carne *[cárne]*
**carnicería** talho *[tállu]*
**carnet** carta *[cárta]*
**carrete (fotos)** rolo / filme *[jólu / filme]*
**carretera** estrada *[eshtráda]*
**carta** carta *[cárta]*
**cartera (guardar papeles)** pasta *[páshta]*
**cartero/-a (profesión)** carteiro/-a *[cartéiru]*
**casa** casa *[cássa]*
**casado/-a** casado/-a *[cassádu/-a]*
**casarse** casar *[cassár]*
**castaño/-a** castanho/-a *[castánhu/-a]*
**castigar** castigar *[cashtigár]*
**castillo** castelo *[cashtélu]*
**catálogo** catálogo *[catálugu]*
**catarro** resfriado *[jeshfriádu]*
**catedral** catedral *[catedrál]*
**católico/-a** católico/-a *[católicu/-a]*
**caza** caça *[cása]*
**cementerio** cemitério *[semitériu]*
**ceja** sobrancelha *[subransélla]*
**cena** jantar *[Giantár]*
**cenar** jantar *[Giantár]*
**cenicero** cinzeiro *[sinsséiru]*
**cepillo (dientes)** escova de dentes *[eshcóva dd déntesh]*
**cepillo (pelo)** escova de cabelo *[eshcóva dd cabélu]*
**cercano/-a** próximo/-a *[prósimu/-a]*

**cerdo** porco *[pórcu]*
**cerebro** cérebro *[sérebru]*
**cerilla** fósforo *[fóshfuru]*
**cerradura** fechadura *[feshadúra]*
**cerrar(se)** fechar(-se) *[fesshárss]*
**cerveza** cerveja *[servéja]*
**champú** champô *[shampú]*
**chaqueta** casaco *[cassácu]*
**chaquetón** blusão *[blussãu]*
**charlar** conversar *[conversár]*
**chicle** pastilha elástica / chicle (BR) *[pashtílla eláshtica / shiclê]*
**chillar** gritar *[gritár]*
**choque** choque *[shoque]*
**cicatriz** cicatriz *[sicatrísh]*
**ciego/-a** cego/-a *[ségu/-a]*
**cielo** ceu *[séu]*
**ciencia** ciência *[siénsia]*
**cima** cimo *[símu]*
**cintura** cintura *[sintúra]*
**cinturón** cinto *[síntu]*
**círculo** círculo *[sírculu]*
**cita** encontro *[encõntru]*
**ciudad** cidade *[sidádd]*
**cobrador** revisor *[jevisór]*
**cocina** cozinha *[cussíña]*
**coche** carro *[cáju]*
**codo** cotovelo *[cutuvélu]*
**coger** apanhar *[apãñár]*
**cola (fila)** bicha / fila (BR) *[bísha / fila]*
**colcha** colcha *[cólsha]*
**colchón** colchão *[culshãu]*
**colegio** colégio *[culéGiu]*
**colgante** pingente *[pinGénte]*
**collar** colar *[culár]*
**comedor** sala de jantar *[sala dd Giantár]*
**comenzar** começar *[cumesár]*
**comer** comer *[cumér]*
**cómico/-a** cómico/-a *[cómicu/-a]*
**comida** comida *[cumída]*
**comisaría** esquadra da polícia *[escuádra dd pulísia]*
**comodidad** conforto *[confórtu]*
**cómodo/-a** confortável *[cunfurtável]*
**compañía** companhia *[cumpañía]*
**complicado/-a** complicado/-a *[cumplicádu/-a]*
**comprar** comprar *[cumprár]*
**comprender** compreender *[cumpriendér]*
**compresa** penso higiénico / absorvente higiênico (BR) *[penso iGiénicu / absorventt iGiénicu]*
**común** comum *[comú[m]]*
**con** com *[co[m]]*
**concierto** concerto *[consértu]*
**condenar** condenar *[condenár]*
**condición** condição *[condisãu]*
**condón** preservativo (PR) / camisinha (BR) *[presservatívu / camissiña]*
**conducir** dirigir *[diriGir]*
**conferencia** conferência *[conferénsia]*
**confuso/-a** confuso/-a *[confússo/-a]*
**congelado/-a** congelado/-a *[conGeládu/-a]*
**congreso** congresso *[congréso]*
**conmigo** comigo *[cumígu]*
**conocer** conhecer *[cuñesér]*
**conseguir** conseguir *[conseguír]*
**consejo** conselho *[consééllu]*
**consigna** depósito *[depóssito]*
**constipado** (enfermedad) constipado *[constipádu]*
**cónsul** cônsul *[cónsul]*

**contagioso/-a** contagioso/-a *[contaGióssu/-a]*
**contar** contar *[contár]*
**contento/-a** contente *[conténte]*
**contestación** resposta *[jeshpóshta]*
**continuar** continuar *[continuár]*
**conversación** conversação *[conversasãu]*
**copa** taça / cálice *[tása / cálise]*
**corazón** coração *[curasãu]*
**corcho** cortiça *[curtísa]*
**correr** correr *[cojér]*
**cortar** cortar *[curtár]*
**cortina** cortina *[curtina]*
**cosa** coisa *[coisa]*
**coser** coser *[cússer]*
**costa** costa *[cóshta]*
**costar** custar *[cushtár]*
**costumbre** costume *[cushtúme]*
**creer** crer / acreditar *[crér / acreditár]*
**crema** creme *[crémm]*
**cristiano/-a** cristão/ cristã *[cristãu/ cristã]*
**cruce** cruzamento *[crussaméntu]*
**cruz** cruz *[crús]*
**cruzar** atravessar *[atravesár]*
**cuaderno** caderno *[cadérnu]*
**cuadro** quadro *[cuádru]*
**cuál** qual *[cuál]*
**cuarto de baño** casa-de-banho / banheiro (BR) *[casa dd bañu / bañeru]*
**cucaracha** barata *[baráta]*
**cuchara** colher *[culhér]*
**cuchillo** faca *[fáca]*
**cuello** pescoço *[peshcósu]*
**cuenta** conta *[cónta]*
**cuerda** corda *[córda]*
**cuidar** cuidar *[cuidár]*
**culebra** cobra *[cubrár]*
**culpa** culpa *[cúlpa]*
**cultura** cultura *[cultúra]*
**cumpleaños** aniversário *[aniversáriu]*
**cuna** berço *[bérso]*
**curva** curva *[cúrva]*

**danza** dança *[dãnsa]*
**daño** dano *[dãnu]*
**dar** dar *[dár]*
**debajo** debaixo *[ddbaishu]*
**deber** dever *[devér]*
**débil** fraco *[frácu]*
**decidir** decidir / resolver *[desidír / jesolvér]*
**decir** dizer *[dissér]*
**decisión** decisão *[desissãu]*
**declarar** declarar *[declarár]*
**dedo (mano)** dedo (mão) *[dédu (mãu)]*
**dedo (pie)** dedo (pé) *[dédu (pé)]*
**dejar** deixar *[deishár]*
**delante** diante *[diantt]*
**delgado/-a** magro/-a *[mágru/-a]*
**demasiado** demasiado *[demassiádu]*
**democracia** democracia *[democrasía]*
**dentadura** dentadura (PR) / dentição (BR) *[dentadúra / dentisãu]*
**dentro** dentro *[déntru]*
**denunciar** denunciar *[denunsiár]*
**dependiente** empregado *[empregádu]*

# español-portugués

**depósito** depósito *[depóssitu]*
**derecho/-a** direito/-a *[diréitu/-a]*
**derechos** direitos *[diréitush]*
**desagradable** desagradável *[desagradável]*
**desagüe** esgoto *[eshgóto]*
**desayunar** tomar o pequeno-almoço / tomar café da manhã (BR) *[tumár u piquénu almósu / tomár café da mãñã]*
**desayuno** pequeno-almoço / café da manhã (BR) *[piquenu-almósu / café da mãñã]*
**descansar** descansar *[deshcãnsár]*
**desconocido/-a** desconhecido/-a *[descuñesídu]*
**describir** descrever *[deshcrevér]*
**descuento** desconto *[deshcóntu]*
**desear** desejar *[dsejár]*
**deseo** desejo *[dséju]*
**desgracia** desgraça *[deshgrása]*
**desierto** deserto *[dessértu]*
**desigual** desigual *[dessiguál]*
**desmayarse** desmaiar *[deshmaiár]*
**desmayo** desmaio *[deshmáiu]*
**desnudo/-a (adj.)** nu/-a *[nú/-a]*
**despacio** devagar *[devagár]*
**despedir** despedir *[deshpedír]*
**despegar** descolar *[deshculár]*
**despertador** despertador *[deshpertadór]*
**despertar(se)** acordar *[acurdár]*
**despierto** acordado *[acurdádu]*
**detalle** detalhe *[detálle]*
**detenerse** deter-se *[detérss]*
**detenido/-a** detido/-a *[dtídu/-a]*
**detrás** atrás *[atrásh]*
**deuda** dívida *[dívida]*
**día** dia *[día]*
**diario/-a** diário *[diáriu]*
**diarrea** diarreia *[diajéia]*
**dibujar** desenhar *[dseñár]*
**diccionario** dicionário *[disiunáriu]*
**diente** dente *[dentt]*
**diferencia** diferença *[difrénsa]*
**difícil** difícil *[difísil]*
**dinero** dinheiro *[diñéru]*
**dios** deus *[déush]*
**dirección** endereço (postal) direcção *[enderésu diresãu]*
**director/-a** director/-a *[diretór/-a]*
**dirigir** dirigir *[diriGír]*
**discoteca** discoteca *[dishcutéca]*
**disculpa** desculpa *[deshcúlpa]*
**disfrutar** desfrutar *[deshfrutár]*
**disgustar** desgostar *[deshgoshtár]*
**disparo** disparo *[dishpáru]*
**disponible** disponível *[dishpunível]*
**dispuesto/-a** disposto/-a *[dishposhtu/-a]*
**distinto/-a** diferente *[difréntt]*
**distrito** distrito *[dishtrítu]*
**diversión** diversão *[diversãu]*
**divertido/-a** divertido/-a *[divertídu/-a]*
**divertirse** divertir-se *[divertirss]*
**dividir** dividir *[dividír]*
**divisa** divisa *[divíssa]*
**divorcio** divórcio *[divórsiu]*
**doble** duplo *[dúplu]*
**doctor/-a** doutor/-a *[doutór/-a]*
**documento** documento *[ducuméntu]*
**doler** doer *[duér]*

**dolor** dor *[dór]*
**doloroso/-a** doloroso/-a *[dulurossu/-a]*
**domicilio** domicílio *[dumisíliu]*
**dormir** dormir *[durmír]*
**dormitorio** quarto *[cuártu]*
**droga** droga *[dróga]*
**ducha** duche / ducha (BR) *[dúsh / dúsha]*
**dueño/-a** dono/-a *[dónu/-a]*
**dulce** doce *[dóse]*
**durar** durar *[durár]*
**duro/-a** duro/-a *[dúru/-a]*

**echar** deitar / jogar fora (BR) *[deitár / Giogar fóra]*
**echar de menos** ter saudade *[tér saudáde]*
**edad** idade *[idáde]*
**edificio** edifício *[idifísiu]*
**edredón** edredão *[idredãu]*
**educación** educação *[iducasãu]*
**educado/-a** educado/-a *[iducádu/-a]*
**ejemplo** exemplo *[issémplu]*
**ejercicio** exercício *[issersísiu]*
**ejército** exército *[issérsitu]*
**él** ele *[éle]*
**elección** eleição *[eleisãu]*
**electricidad** electricidade *[eletrisidáde]*
**electrodoméstico** electrodoméstico *[eletruduméshticu]*
**elegir** escolher *[eshcullér]*
**ella** ela *[éla]*
**embajada** embaixada *[embaisháda]*
**embalaje** embalagem *[embaláGeim]*
**embarcarse** embarcar *[embarcár]*
**emborracharse** embebedar *[embebedár]*
**emoción** emoção *[emusãu]*
**empeorar** piorar *[piurár]*
**empezar** começar *[cumesár]*
**empleado/-a** empregado/-a *[empregádu/-a]*
**empleo** emprego *[empregu]*
**empujar** empurrar *[empujár]*
**en** em *[ãim]*
**encantado/-a** encantado/-a *[encantádu/-a]*
**encargado/-a** encarregado/-a *[encarregádu/-a]*
**encendedor** isqueiro *[ishquéiru]*
**encender** acender *[asendér]*
**encima (de)** em cima (de) *[ãim sima dd]*
**encontrar** encontrar *[encontrár]*
**encuentro** encontro *[encóntro]*
**enchufe** tomada *[tumáda]*
**enemigo/-a** inimigo/-a *[inimigu]*
**energía** energia *[energía]*
**enfadado/-a** zangado/-a *[ssangádu/-a]*
**enfermedad** doença *[duénsa]*
**enfermero/-a** enfermeiro/-a *[enferméiru/-a]*
**enfermo/-a** doente *[duentt]*
**enfrente** em frente *[ãim frente]*
**engañar** enganar *[enganár]*
**engaño** engano *[inganu]*
**engordar** engordar *[engurdár]*
**engrasar** engordurar *[engurdurár]*
**enseñar** ensinar *[ensinár]*

**entender** compreender *[comprendér]*
**enterarse** enterar-se *[enterárse]*
**entero/-a** inteiro/-a *[intéiru/-a]*
**entierro** enterro *[enteju]*
**entreacto** entreacto *[entreátu]*
**entregar** entregar *[entregár]*
**entrevista** entrevista *[entrevíshta]*
**enviar** enviar *[enviár]*
**envolver** embrulhar *[embrullár]*
**equipo** equipa / equipe (BR) *[equipa / equipi]*
**equivocado/-a** errado/-a *[ejádu/-a]*
**equivocarse** enganar-se *[enganárse]*
**error** erro *[éju]*
**escalera** escada *[eshcáda]*
**escaparate** montra / vitrine (BR) *[montra / vitrini]*
**escaso/-a** escasso/-a *[eshcasu/-a]*
**escena** cena *[séna]*
**escoba** vassoura *[vasóra]*
**escoger** escolher *[eshcullér]*
**escribir** escrever *[eshcrevér]*
**escuchar** escutar *[eshcutár]*
**escuela** escola *[eshcóla]*
**espacio** espaço *[eshpásu]*
**espalda** costas *[cóshtash]*
**especial** especial *[eshpesiál]*
**especialidad** especialidade *[eshpesialidadd]*
**espectáculo** espectáculo *[eshpetáculu]*
**espejo** espelho *[eshpellu]*
**esperanza** esperança *[eshpránsa]*
**esperar** esperar *[eshprár]*
**espina** espinha *[eshpíña]*
**esquina** esquina / canto *[eshquina / cãntu]*
**estación** estação *[eshtasãu]*
**estafa** fraude *[fraúdd]*
**estatua** estátua *[eshtátua]*
**este** este *[éshte]*
**estómago** estômago *[eshtómagu]*
**estrecho/-a** estreito/-a *[eshtréitu/-a]*
**estrella** estrela *[eshtréla]*
**estreñimiento** prisão de ventre *[prissãu dd véntre]*
**estropear** estragar *[eshtragár]*
**estudiante** estudante *[eshtudãte]*
**estudiar** estudar *[eshtudár]*
**estúpido/-a** estúpido/-a *[eshtúpidu/-a]*
**etiqueta** etiqueta *[etiquéta]*
**evitar** evitar *[evitár]*
**exacto/-a** exacto/-a *[issátu/-a]*
**examen** exame *[issáme]*
**excelente** excelente *[esheléntе]*
**excepto** excepto *[eshétu]*
**excursión** excursão *[escursãu]*
**excusa** excusa *[eshcússa]*
**éxito** êxito / sucesso *[éssitu / susésu]*
**explicar** explicar *[eshplicár]*
**exposición** exposição *[eshpussisãu]*
**extranjero/-a** estrangeiro/-a *[eshtranGeiru/-a]*
**extraño/-a** esquisito/-a *[eshquisitu/-a]*

**fábrica** fábrica *[fábrica]*
**fácil** fácil *[fásil]*
**falda** saia *[sáia]*

**falso/-a** falso/-a *[falsu/-a]*
**familia** família *[família]*
**farmacia** farmácia *[farmásia]*
**feliz** feliz *[felísh]*
**ficha** ficha *[fícha]*
**fiebre** febre *[fébr]*
**fiesta** festa *[féshta]*
**fin** fim *[fi(m)]*
**firmar** assinar *[asinár]*
**flaco/-a** magro/-a *[mágru/-a]*
**flor** flor *[flór]*
**fondo** fundo *[fúndu]*
**forma** forma *[fórma]*
**fotografía** foto *[fótu]*
**frecuente** frequente *[frecuéntt]*
**freno** travão *[travãu]*
**frente** (de la cara) testa *[téshta]*
**frío** frio *[fríu]*
**frontera** fronteira *[frontéra]*
**fruta** fruta *[fruta]*
**frutería** frutaria *[frutaria]*
**fuego** fogo *[fógu]*
**fuente** fonte *[fóntt]*
**fuerte** forte *[fórtt]*
**fuerza** força *[fórsa]*
**fumar** fumar *[fumár]*
**función** função *[funsãu]*
**funcionar** funcionar *[funsiunár]*
**fútbol** futebol *[futeból]*
**futuro** futuro *[futúru]*

**gabardina** gabardina *[gabardina]*
**gafas** óculos *[óculush]*
**galería** galeria *[gal(e)ría]*
**ganar** ganhar *[gãñár]*
**ganas** (deseo) vontade *[vontádd ]*
**garantizado/-a** garantido/-a *[garantídu/-a]*
**garganta** garganta *[gargãnta]*
**gas** gás *[gásh]*
**gastar** gastar *[gashtár]*
**gastos** gastos / despesas *[gashtus / deshpessash]*
**gato** gato *[gátu]*
**generoso/-a** generoso *[Generóssu]*
**genitales** genitais *[Genitáish]*
**gente** gente *[Géntt]*
**geografía** geografia *[Geografía]*
**gimnasio** ginásio *[Ginássiu]*
**glúteo(s)** glúteo(s) *[glúteu(sh)]*
**gobierno** governo *[guvérnu]*
**golpe** golpe / pancada *[gólpp / pancáda]*
**golpear** bater *[batér]*
**gordo/-a** gordo/-a *[gordu/-a]*
**gorra** gorro / boné (BR) *[góju / boné]*
**gorro** gorro *[góju]*
**gota** gota / pingo *[góta / píngu]*
**gracias** obrigado/-a *[ubrigádu/-a]*
**gracioso/-a** engraçado/-a *[engrasádu/-a]*
**grande** grande *[grãndd]*
**granizar** granizar *[granissár]*
**granizo** saraiva *[saráiva]*
**grifo** torneira *[turnéra]*
**gripe** gripe *[gripp]*
**grito** grito *[grítu]*
**grosero/-a** grosseiro/-a *[groséiru/-a]*
**grupo** grupo *[grupu]*
**guante** luva *[lúva]*
**guapo/-a** bonito/-a * lindo/-a *[bunítu/-a * líndu/-a]*
**guardar** guardar *[guardár]*
**guardia** guarda *[guárda]*
**guerra** guerra *[guéja]*

**guitarra** viola *[vióla]*
**gustar** gostar *[gushtár]*
**gusto** gosto *[góshtu]*

**haber** haver *[avér]*
**habitación** quarto *[cuártu]*
**habitante** habitante *[habitántt]*
**hablar** falar *[falár]*
**hacer** fazer *[fassér]*
**hacia** para *[pára]*
**hambre** fome *[fóme]*
**hasta** até *[até]*
**helicóptero** helicóptero *[elicópteru]*
**herencia** herança *[erãnsa]*
**herida** ferida *[firída]*
**héroe** herói *[erói]*
**hielo** gelo *[Gélu]*
**hierba** erva *[érva]*
**hierro** ferro *[féju]*
**hígado** fígado *[fígadu]*
**hilo** fio *[fíu]*
**hispanoamericano/-a** hispanoamericano/-a *[ishpanuamericanu/-a]*
**historia** história *[ishtória]*
**hoja (papel)** folha (papel) *[fólla (papél)]*
**hombre** homem *[õmãin]*
**hombro** ombro *[õmbru]*
**homicida** homicida *[umisída]*
**hondo/-a** fundo/-a *[fúndu/-a]*
**honrado/-a** honrado/-a *[onjádu/-a]*
**hora** horas *[órash]*
**hormiga** formiga *[furmíga]*
**horno** forno *[fornu]*
**hospedaje** hospedagem *[ushpedáGeim]*
**hospital** hospital *[ushpitál]*
**hospitalidad** hospitalidade *[ushpitalidádd]*
**hoy** hoje *[óGie]*
**huelga** greve *[gréve]*
**hueso** osso *[ósu]*
**huida** fuga *[fuga]*
**humano/-a** humano/-a *[umãnu/-a]*
**húmedo** húmido *[úmidu/-a]*
**humo** fumo *[fúmu]*
**huracán** furacão *[furacãu]*

**idea** ideia *[idéia]*
**identificación** identificação *[identificassãu]*
**idioma** língua *[língua]*
**idiota** estúpido *[eshtúpidu]*
**iglesia** igreja *[igréGia]*
**igual** igual *[iguál]*
**ilegal** ilegal *[ilegál]*
**imaginación** imaginação *[imaGinasãu]*
**imitación** imitação *[imitasãu]*
**imperdible** alfinete *[alfinéte]*
**impermeable** impermeável *[impermiável]*
**importante** importante *[impurtãntt]*
**incidente** incidente *[insidéntt]*
**incluido/-a** incluído/-a *[incluídu/-a]*
**incoloro/-a** incolor *[incolór]*
**incómodo/-a** incómodo/-a *[incómudu/-a]*
**incompleto/-a** incompleto/-a *[incompletu/-a]*
**indemnización** indemnização *[indenisassãu]*

**independencia** independência *[independénsia]*
**indicar** indicar *[indicár]*
**indigestión** indigestão *[indiGestãu]*
**individuo** indivíduo *[indivídu]*
**injusto/-a** injusto/-a *[inGiústu/-a]*
**inmigración** imigração *[imigrasãu]*
**inocente** inocente *[inuséntt]*
**inquilino/-a** inquilino/-a *[inquilinu/-a]*
**insecto** insecto *[insétu]*
**inspeccionar** inspeccionar *[inspesionár]*
**inspector/-a** inspector/-a *[inspetór/-a]*
**instituto** instituto *[institútu]*
**intelectual** intelectual *[intelectuál]*
**inteligente** inteligente *[intiligéntt]*
**intenso/-a** intenso/-a *[inténsu/-a]*
**interpretar** interpretar *[interpretár]*
**intérprete** intérprete *[intérprett]*
**interruptor** interruptor *[intejuptór]*
**inundación** inundação *[inundasãu]*
**inútil** inútil *[inútil]*
**invalidez** deficiência *[deficiénsia]*
**inventario** inventário *[inventáriu]*
**investigar** investigar *[inveshtigár]*
**inyección** injecção *[inGesãu]*
**ir** ir *[ir]*
**irritar** irritar *[ijitár]*
**isla** ilha *[ílla]*
**izquierdo/-a** esquerdo/-a *[eshquérdu/-a]*

**jabón** sabão *[sabãu]*
**jamás** jamais *[Giamáish]*
**jardín** jardim *[Giardí(m)]*
**jefe** chefe *[shéfe]*
**jersey** pulôver *[pulóver]*
**joven** jovem *[Giovãim]*
**joya** jóia *[Gióia]*
**juego** jogo *[Giógu]*
**juez** juiz *[Giuísh]*
**jugar** jogar / brincar *[Giogár / brincár]*
**juguete** brinquedo *[brinquédu]*
**juicio** juízo *[Giuíssu]*
**justicia** justiça *[Giushtísa]*
**justo/-a** justo/-a *[Giúshtu/-a]*
**juvenil** juvenil *[Giuveníl]*
**juzgar** julgar *[Giulgár]*

**kilo** quilo *[quílu]*

**labio** lábio *[lábiu]*
**ladrón/-a** ladrão / ladra *[ladrãu / ládra]*
**lagarto** lagarto *[lagártu]*
**lago** lago *[lágu]*
**lamentar** lamentar *[lamentár]*
**lámpara** candeeiro *[candieiru]*
**lana** lã *[lã]*

**langosta** lagosta *[lagóshta]*
**lápiz** lápis *[lápish]*
**largo/-a** comprido/-a longo/-a *[cumprídu/-a lóngu/-a]*
**lavabo** lavatório *[lavatóriu]*
**lavadora** máquina de lavar *[máquina dd lavár]*
**lavandería** lavandaria *[lavandaría]*
**lavar(se)** lavar-se *[lavárss]*
**laxante** laxante *[lasħántt]*
**lección** lição *[lisãu]*
**leer** ler *[lér]*
**lejía** lixívia *[lishívia]*
**lejos** longe *[lónge]*
**lencería** lingerie *[lãnGejí]*
**lengua** língua *[língua]*
**lentes de contacto** lentes de contacto *[léntesh dd contátu]*
**lento/-a** lento/-a *[léntu/-a]*
**leña** lenha *[léña]*
**letrero** cartaz *[cartásh]*
**levantarse** levantar-se *[levantárss]*
**ley** lei *[lei]*
**leyenda** legenda *[leGénda]*
**libertad** liberdade *[liberdádd]*
**libre** livre *[lívre]*
**librería** livraria *[livraría]*
**libreta** caderno *[cadérnu]*
**libro** livro *[lívru]*
**licencia** licença *[lisénsa]*
**licor** licor *[licór]*
**límite** limite *[limíte]*
**limpiar** limpar *[limpár]*
**limpio/-a** limpo/-a *[límpu/-a]*
**linterna** lanterna *[lãntérna]*
**liso/-a** liso/-a *[líssu/-a]*
**lista** lista *[líshta]*
**litera** liteira *[litera]*
**llaga** chaga *[shága]*
**llama** (fuego) chama *[shãma]*
**llamar(se)** chamar(-se) *[shamárss]*
**llanura** planície *[planísie]*
**llave** chave *[shávv]*
**llegada** chegada *[shegáda]*
**llegar** chegar *[shegár]*
**llenar** encher *[enshér]*
**llevar** levar *[levár]*
**llorar** chorar *[shorár]*
**llover** chover *[shuvér]*
**lluvia** chuva *[shúva]*
**lluvioso/-a** chuvoso/-a *[shuvósu/-a]*
**loco/-a** louco/-a *[locu/-a]*
**locomotora** locomotiva *[lucumutiva]*
**luego** depois *[depóish]*
**lugar** lugar / local *[lugár / lucál]*
**lujoso/-a** luxuoso/-a *[lushuóssu/-a]*
**luna** lua *[lúa]*
**luto** luto *[lútu]*
**luz** luz *[lúsh]*

**madrugar** madrugar *[madrugár]*
**maestro/-a** mestre/-a *[méshtr/-a]*
**magnífico/-a** magnífico/-a *[magnífícu/-a]*
**mal** mal *[mál]*
**maleta** mala *[mála]*
**maletín** pasta *[pashta]*
**malo/-a** mau / má *[mau / má]*
**manantial** manancial *[manãsiál]*
**mancha** mancha / nódoa *[mãnsha / nódua ]*
**mandar** mandar *[mandár]*

# Diccionario de viaje

**manga** manga *[mãnga]*
**manivela** manivela *[manivéla]*
**mano** mão *[mãu]*
**manta** cobertor *[cubertór]*
**mantel** toalha de mesa *[tuálla dd mésa]*
**mañana** (día siguiente) amanhã *[amãñã]*
**mañana** (parte del día) manhã *[mãñã]*
**mapa** mapa *[mápa]*
**mar** mar *[mar]*
**marca** marca *[márca]*
**marcharse** ir embora *[ir ãimbóra]*
**marea** maré *[maré]*
**mariposa** borboleta *[burbuléta]*
**mármol** mármore *[mármore]*
**marqués / marquesa** marquês / marquesa *[marquésh / marquéssa]*
**martillo** martelo *[martélu]*
**más** mais *[maish]*
**masaje** massagem *[masaGeim]*
**matar** matar *[matár]*
**material** material *[materiál]*
**matrícula** matrícula *[matrícula]*
**mausoleo** mausoléu *[maussoléu]*
**mayor** maior *[maiór]*
**mayoría** maioria *[maiuría]*
**mechero** isqueiro *[ishquéiru]*
**medias** meias / collants *[méiash / colãn]*
**medicina** medicina *[medisína]*
**medida** medida *[midída]*
**mejilla** maçã do rosto / face *[masã du róshtu / fáse]*
**mejor** melhor *[mllór]*
**mejorar** melhorar *[mllorár]*
**mendigo** mendigo *[mendígu]*
**menos** menos *[ménush]*
**menor** menor *[mnór]*
**mensaje** mensagem *[mãisaGeim]*
**mentir** mentir *[mentír]*
**mentira** mentira *[mentíra]*
**mercado** mercado *[mercádu]*
**merienda** lanche *[lãnsh]*
**mesa** mesa *[méssa]*
**metal** metal *[metál]*
**meter** meter *[mêtér]*
**mezclado/-a** misturado/-a *[mishturádu/-a]*
**mezquita** mesquita *[meshquíta]*
**miedo** medo *[médu]*
**miembro** (parte de un grupo) membro *[mémbru]*
**mientras** enquanto *[encuãntu]*
**minuto** minuto *[minútu]*
**mío/-a, -os, -as** meu/minha/meus/minhas *[meu / míña / meush / míñash]*
**mirar** olhar *[ullár]*
**misa** missa *[mísa]*
**mochila** mochila *[mushíla]*
**moda** moda *[móda]*
**mojado/-a** molhado/-a *[mulládu]*
**molestar** incomodar *[incomudár]*
**molestia** incómodo *[incómudu]*
**momento** momento *[muméntu]*
**moneda** moeda *[mueda]*
**montaña** montanha *[montãña]*
**monte** monte *[mónte]*
**montura** (caballo) cavalgadura *[cavalgadúra]*
**montura** (gafas) armação (óculos) *[armasãu óculush]*
**monumento** monumento *[munuméntu]*
**mordisco** dentada *[dentáda]*
**moreno/-a** moreno/-a *[morénu/-a]*

**morir** morrer *[morrér]*
**mosaico** mosaico *[mosaícu]*
**mosca** mosca *[móshca]*
**mosquito** mosquito *[mushquítu]*
**mostrador** balcão *[balcãu]*
**moto** mota *[móta]*
**motor** motor *[motór]*
**mover** mover *[movér / meshér]*
**muchacho/-a** rapaz / rapariga moço/-a (BR) *[japash / japaríga moso / mosa]*
**mueble** móvel *[móvel]*
**muela** dente *[denté]*
**muelle** cais *[cáish]*
**muerto/-a** morto/-a *[mórtu/-a]*
**mujer** mulher *[mullér]*
**multa** multa *[múlta]*
**muñeco/-a (juguete)** boneco/-a (brinquedo) *[bunécu/-a (brinqedu)]*
**músculo** músculo *[múshculo]*
**música (arte)** música *[mússica]*
**músico/-a (profesión)** músico/-a *[mússicu]*
**muslo** coxa *[cósha]*
**muy** muito *[muí(n)tu]*

**nacer** nascer *[nashér]*
**nación** nação *[nasãu]*
**nacionalidad** nacionalidade *[nasionalidádd]*
**nada** nada *[náda]*
**nadar** nadar *[nadár]*
**nadie** ninguém *[ningãim]*
**nalga** nádega *[nádega]*
**nariz** nariz *[narísh]*
**naranja** laranja *[laránGia]*
**navegar** navegar *[navegár]*
**necesidad** necessidade *[nesesidádd]*
**necesario** necessário *[nesesáriu]*
**neceser** necessaire *[neseséje]*
**negocio** negócio *[negósiu]*
**negro/-a** preto/-a *[prétu/-a]*
**nervio** nervo *[nérvu]*
**nervioso/-a** nervoso/-a *[nervóssu/-a]*
**neumático** pneu *[pnéu]*
**nevar** nevar *[nevár]*
**nieve** neve *[néve]*
**niebla** nevoeiro *[nevuéiru]*
**ninguno/-a** nenhum *[neñú(m)]*
**niño/-a** menino/-a *[minínu/-a]*
**nivel** nível *[nível]*
**no** não *[nãu]*
**noche** noite *[noite]*
**nochebuena** véspera de Natal *[véshpera dd Natál]*
**nochevieja** fim de ano *[fim dd anu]*
**nombre** nome *[nómm]*
**normal** normal *[nurmál]*
**norte** norte *[nórtt]*
**nosotros/-as** nós *[nósh]*
**noticia** notícia *[notísia]*
**novela** romance *[jumánse]*
**novio/-a** namorado/-a *[namurádu/-a]*
**nube** nuvem *[núvãim]*
**nublado/-a** nublado/-a *[nubládu/-a]*
**nudista** nudista *[nudíshta]*
**nuestro/-a, -os, -as** nosso/-a,-os,-as *[nósu/-a,-ush,-ash]*
**nuevo/-a** novo/-a *[nóvu/-a]*
**número** número *[número]*
**nunca** nunca *[núnca]*

# Diccionario de viaje

**oasis** oásis *[uásish]*
**objeto** objecto *[obGiétu]*
**obligatorio/-a** obrigatório/-a *[ubrigatóriu/-a]*
**obra** obra *[óbra]*
**obra de teatro** peça de teatro *[pésa dd tiátru]*
**obsequio** obséquio *[obséquiu]*
**observatorio** observatório *[ubservatóriu]*
**obtener** obter *[ubtér]*
**ocasión** ocasião *[ucassiãu]*
**océano** océano *[oséanu]*
**ocupado/-a** ocupado/-a *[ocupádu/-a]*
**odiar** odiar *[odiár]*
**oeste** oeste *[ueshte]*
**oficina** escritório *[escritóriu]*
**oficina de información** posto de informação *[póshtu dd infurmassãu]*
**oído** ouvido *[ouvídu]*
**oír** ouvir *[ouvír]*
**ojal** ilhó *[illó]*
**ojo** olho *[ólhu]*
**ola** onda *[ónda]*
**oler** cheirar *[sheirár]*
**olfato** olfacto *[ulfáto]*
**olvidar** esquecer *[eshquesér]*
**ópera** ópera *[ópera]*
**óptica** (tienda) óptica *[ótica]*
**opuesto/-a** oposto/-a *[oposhtu/-a]*
**oración** oração *[orasãu]*
**oreja** orelha *[urélla]*
**órgano** (parte del cuerpo) órgão *[órgãu]*
**orgulloso/-a** orgulhoso/-a *[orgullósu]*
**orquesta** orquestra *[orqéstra]*
**orquídea** orquídea *[urquídia]*
**oscuro/-a** escuro/-a *[eshcuro/-a]*
**oso** urso *[úrsu]*
**otro/-a** outro/-a *[otru/-a]*
**oveja** ovelha *[ovélla]*
**oxígeno** oxigénio *[ocsigéniu]*

**pabellón** pavilhão *[pavillãu]*
**paciencia** paciência *[pasiénsia]*
**paciente** paciente *[pasiénte]*
**pagar** pagar *[pagár]*
**página** página *[página]*
**país** país *[páísh]*
**pájaro** pássaro *[pásaru]*
**palabra** palabra *[palávra]*
**palacio** palácio *[palásiu]*
**pálido/-a** pálido/-a *[pálidu/-a]*
**palmera** palmeira *[palméira]*
**palo** pau *[páu]*
**paloma** pomba *[pomba]*
**pan** pão *[pãu]*
**panadería** padaria *[padaría]*
**pantalón** calças *[cálsas]*
**pantano** pântano *[pãntánu]*
**pañuelo** lenço *[lénsu]*
**papel** papel *[papél]*
**papelera** cesto de papéis *[ssestu dd papéish]*
**papelería** papelaria *[papelaría]*
**paquete** pacote *[pacóte]*
**para** para *[pára]*
**paraguas** guarda-chuva *[guardashúva]*
**parar** parar *[parár]*
**parecer** parecer *[paresér]*
**pared** parede *[parédd]*
**pareja** par *[pár]*
**parque** parque *[párque]*

**pasaje** passagem *[pasáGeim]*
**pasaporte** passaporte *[pasapórtt]*
**pasillo** corredor *[cujedór]*
**pastelería** pastelaria *[pashtelaría]*
**pastilla** comprimido *[comprimídu]*
**patio de butacas** plateia *[platéia]*
**patrulla** patrulha *[patrúlla]*
**paz** paz *[pásh]*
**peaje** portagem *[purtáGeim]*
**peatón** peão *[piãu]*
**pecho** peito *[peitu]*
**pedir** pedir *[pedir]*
**pegar** (golpear) bater *[batér]*
**peinado** penteado *[pentiádu]*
**peine** pente *[pénte]*
**película** filme *[filmm]*
**peligro** perigo *[perígu]*
**pelirrojo/-a** ruivo/-a *[ruívu/-a]*
**pelo** cabelo *[cabélu]*
**pelota** bola *[bóla]*
**pelvis** pelve *[pélve]*
**pendientes** brincos *[bríncush]*
**península** península *[península]*
**pensar** pensar *[pensár]*
**pensión** pensão *[pensãu]*
**pequeño/-a** pequeno/-a *[piquénu/-a]*
**percha** cabide *[cabídd]*
**perder** perder *[perdér]*
**perdido/-a** perdido/-a *[perdídu]*
**perfecto/-a** perfeito/-a *[perfeitu/-a]*
**periódico** jornal *[Giurnál]*
**permanecer** permanecer *[permãnesér]*
**permiso** licença *[lisénsa]*
**permitir** permitir *[permitír]*
**pero** mas *[másh]*
**perro** cão *[cãu]*
**perseguir** perseguir *[perseguír]*
**persiana** persiana *[persiana]*
**persona** pessoa *[psóa]*
**pertenecer** pertencer *[pertensér]*
**pesca** pesca *[péshca]*
**pescadería** peixaria *[peisharía]*
**pescado** peixe *[peíshe]*
**pescar** pescar *[peshcár]*
**pestaña** pestana *[peshtána]*
**petróleo** petróleo *[ptróliu]*
**pez** peixe *[peíshe]*
**picadura** picada *[picáda]*
**piedra** pedra *[pédra]*
**pierna** perna *[pérna]*
**pijama** pijama *[piGiãma]*
**pila** pilha (bateria) *[pílla]*
**píldora** pílula *[pílula]*
**piloto** piloto *[pilótu]*
**pinchar(se)** furar(-se) *[furarsi]*
**pinchazo** furo *[fúru]*
**pintar** pintar *[pintár]*
**pintura** tinta *[tínta]*
**piscina** piscina *[pishína]*
**piso** (vivienda) andar *[andár]*
**pistola** pistola *[pishtóla]*
**plancha** (de ropa) ferro *[féju]*
**planchar** passar a ferro *[pasár a féju]*
**plano** plano *[plánu]*
**planta** (piso) andar *[andár]*
**plato** prato *[prátu]*
**playa** praia *[práia]*
**plaza** praça *[prása]*
**pobre** pobre *[póbre]*
**poco/-a** pouco/-a *[pocu/-a]*
**policía** polícia *[polísia]*
**polvo** (suciedad) pó *[pó]*
**pomada** pomada *[pumáda]*
**poner(se)** pôr(-se) *[pórss]*
**portal** portal *[purtál]*
**portero/-a** porteiro/-a *[purteiru/-a]*

**precio** preço *[présu]*
**precioso/-a** precioso/-a *[presióssu/-a]*
**preferir** preferir *[prefirír]*
**pregunta** pergunta *[pergúnta]*
**premio** prémio *[prémiu]*
**preservativo** preservativo *[presservatívu]*
**probar** (comida) experimentar *[eshperimentár]*
**problema** problema *[prubléma]*
**profesión** profissão *[prufisãu]*
**profesor/-a** professor/-a *[prufesór/-a]*
**profundo/-a** profundo/-a *[prufúndu/-a]*
**prohibido/-a** proibido/-a *[pruibídu/-a]*
**pronto** cedo *[sédu]*
**pronunciar** pronunciar *[pronunsiár]*
**protección** protecção *[prutesãu]*
**provincia** província *[pruvínsia]*
**próximo/-a** próximo/-a *[prósimu/-a]*
**pueblo** aldeia *[aldéia]*
**puente** ponte *[põntt]*
**puerta** porta *[pórta]*
**pulmón** pulmão *[pulmãu]*
**pulsera** pulseira *[pulséira]*
**puro/-a** puro/-a *[púru/-a]*

**quemadura** queimadura *[qeimadúra]*
**quemar** queimar *[qeimár]*
**querer** querer *[qerér]*
**quirófano** quirófano *[quirófanu]*
**quitamanchas** tira-nódoas *[tira nóduash]*
**quitar** tirar *[tirár]*

**radio** rádio *[jádiu]*
**rápido/-a** rápido/-a *[rápidu/-a]*
**raro/-a** esquisito/-a *[eshquisitu/-a]*
**rascacielos** arranha-céu *[ajãñasséu]*
**rasguño** arranhadela *[ajãñadéla]*
**rata** rato *[játu]*
**ratón** rato *[játu]*
**rayo** raio *[jáiu]*
**raza** raça *[jása]*
**razón** razão *[jassãu]*
**rebajas** saldos *[sáldush]*
**recado** recado *[jecádu]*
**receta** receita *[jeséita]*
**recibir** receber *[jesebér]*
**recibo** recibo *[jesíbu]*
**reclamar** reclamar *[jeclamár]*
**recoger** recolher *[jecullér]*
**recordar** lembrar *[lembrár]*
**recuerdo** lembrança *[lembrãnsa]*
**rechazar** recusar *[jecussár]*
**reembolso** reembolso *[jeembólsu]*
**refresco** refrigerante *[jefriGerãntt]*
**refugio** refúgio *[jef´úGio]*
**regalo** presente / prenda *[presséntt / prénda]*
**régimen** dieta *[diéta]*
**reglamento** regulamento *[jegulaméntu]*
**reina** rainha *[jaíña]*

**reír** rir *[jir]*
**relámpago** relâmpago *[jelámpagu]*
**religión** religião *[jeliGiãu]*
**religioso/-a** religioso/-a *[jeligiosu/-a]*
**reloj** relógio *[jelógiu]*
**repetir** repetir *[jepetír]*
**reportero/-a** repórter *[jepórter]*
**representante** representante *[jepresentántt]*
**resaca** ressaca *[jesáca]*
**resbaladizo/-a** escorregadio/-a *[eshcorregadíu/-a]*
**resbalar** escorregar *[eshcujegár]*
**reservar** reservar *[jeservár]*
**resfriado** (enfermedad) resfriado *[jesfriádu]*
**residente** residente *[jessidéntt]*
**resolver** resolver *[jessolvér]*
**respiración** respiração *[jeshpirasãu]*
**respirar** respirar *[jeshpirar]*
**responder** responder *[jeshpondér]*
**responsabilidad** responsabilidade *[jeshponsabilidáde]*
**respuesta** resposta *[jeshpóshta]*
**resultado** resultado *[jessultádu]*
**retrato** retrato *[jetrátu]*
**revelar** (fotografías) revelar *[jevelár]*
**revisor** revisor *[jevissór]*
**revista** revista *[jevishta]*
**rey** rei *[jéi]*
**rico** rico *[jícu]*
**riñón** rim *[jím]*
**río** rio *[jíu]*
**risa** riso *[jíssu]*
**rizo** riço *[jísu]*
**robo** roubo *[jóubu]*
**roca** rocha *[jósha]*
**rodilla** joelho *[Giuéllu]*
**rompeolas** quebra-mar *[quebramár]*
**romper(se)** partir(-se) *[partír]*
**ropa** roupa *[jóupa]*
**ropa interior** roupa interior *[jóupa interiór]*
**roto/-a** partido/-a *[partídu/-a]*
**rubio/-a** loiro/-a *[loiru/-a]*
**rueda** roda *[jóda]*
**ruido** ruído *[juídu]*
**ruidoso/-a** ruidoso/-a *[juidóssu/-a]*
**ruina** vestígios (arqueológicos) *[vestígius]*
**rural** rural *[jurál]*
**ruta** rota *[jóta]*

**sábana** lençol *[lensól]*
**saber** saber *[sabér]*
**sabio/-a** sábio/-a *[sábiu/-a]*
**sabor** sabor *[sabór]*
**sacacorchos** saca-rolhas *[sacajóllash]*
**sacar** sacar *[sacár]*
**sacerdote** sacerdote *[saserdóte]*
**saco de dormir** saco de dormir *[sacu dd durmír]*
**sala de espera** sala de espera *[sala dd eshpéra]*
**salir** sair *[saír]*
**saltar** saltar / pular *[saltár / pulár]*
**salud** saúde *[saúdd]*
**saludo** cumprimento *[cumpriméntu]*

# Diccionario de viaje

**salvaje** selvagem *[selváGeim]*
**salvar** salvar *[salvár]*
**salvavidas** salva-vidas *[salvavídash]*
**sangre** sangue *[sángue]*
**sartén** frigideira *[frigidéira]*
**secador de pelo** secador de cabelo *[secadór dd cabélu]*
**secar(se)** secar(-se) *[secárs]*
**seco/-a** seco/-a *[sécu/-a]*
**sed** sede *[séde]*
**seguir** seguir *[seguír]*
**seguridad** segurança *[segouránsa]*
**selva** selva *[sélva]*
**sello** selo *[sélu]*
**semáforo** semáforo *[semáfuru]*
**semana** semana *[semána]*
**semejante** semelhante *[semellántt]*
**sencillo** simples *[símplesh]*
**sentido** (dirección) sentido *[sentídu]*
**sentir** sentir *[sentír]*
**señal** (marca) sinal (marca) *[sinál]*
**ser** ser *[ser]*
**serpiente** cobra *[cóbra]*
**servicio(s)** casa-de-banho / banheiro (BR) *[cássa dd báñu / bañeru]*
**servicio** serviço *[servísu]*
**servilleta** guardanapo *[guardanápu]*
**servir** servir *[servírr]*
**sesión** sessão *[sesãu]*
**sexo** sexo *[sécsu]*
**sí** sim *[sim]*
**siempre** sempre *[sémpre]*
**siglo** século *[séculu]*
**siguiente** seguinte *[seguíntt]*
**silencio** silêncio *[siléensiu]*
**silla** cadeira *[cadéra]*
**simpatía** simpatia *[simpatía]*
**simpático/-a** simpático *[simpáticu]*
**sincero** sincero *[sinséru]*
**sol** sol *[sol]*
**sólido** sólido *[sólidu]*
**soltero/-a** solteiro/-a *[soltéiru/-a]*
**sombra** sombra *[sómbra]*
**sombrero** chapéu *[shapéu]*
**sonar** tocar *[tocár]*
**sonido** som *[som]*
**sonrisa** sorriso *[sujíssu]*
**sopa** sopa *[sópa]*
**sordo/-a** surdo/-a *[surdu/-a]*
**sortija** anel *[anél]*
**suave** macio/-a *[masíu/-a]*
**subterráneo** subterrâneo *[subtejãniu]*
**suburbio** subúrbio *[subúrbiu]*
**sucio/-a** sujo/-a *[suGiu/-a]*
**sudor** transpiração *[transpirasãu]*
**suelo** chão / solo *[shãu / sólu]*
**suerte** sorte *[sórte]*
**suicidio** suicídio *[suisídiu]*
**sujetador** soutien *[soutián]*
**sumar** somar *[sumár]*
**sumergir** submergir *[submerGír]*
**supermercado** supermercado *[Supermercádu]*
**sur** sul *[sul]*

**tabaco** tabaco *[tabácu]*
**taberna** taberna *[tabérna]*
**tabique** divisória *[divissória]*
**tacón** salto *[saltu]*
**tacto** tacto *[tátu]*
**tampón** tampão *[tãmpãu]*

**tapa** tampa *[tãmpa]*
**tarde** tarde *[tárde]*
**tardar** demorar *[demorár]*
**techo** tecto *[tétu]*
**tejado** telhado *[telládu]*
**tela** tecido *[tesídu]*
**telegrama** telegrama *[telegráma]*
**tempestad** tempestade *[tempeshtádd]*
**temprano** cedo *[sédu]*
**tenedor** garfo *[gárfu]*
**tener** ter *[tér]*
**teñir** pintar *[pintár]*
**terciopelo** veludo *[velúdu]*
**terminar** terminar *[terminár]*
**termómetro** termómetro *[termómetru]*
**terraza** terraço *[tejásu]*
**tetera** chaleira / bule *[shaleira / búle]*
**tiempo** tempo *[tempu]*
**tienda** loja *[lóGia]*
**tierra** terra *[téja]*
**tieso/-a** tenso/-a *[tensu/-a]*
**tijeras** tesoura *[tessoura]*
**tímido/-a** tímido/-a *[tímidu/-a]*
**tinta** tinta *[tínta]*
**tipo** tipo *[típu]*
**toalla** toalha *[tuálla]*
**tobillo** tornozelo *[tornusélu]*
**tonto/-a** estúpido/-a *[eshtúpidu/-a]*
**tornillo** parafuso *[parafússu]*
**tos** tosse *[tóssi]*
**trabajador/-a** trabalhador/-a *[traballadór/-a]*
**trabajar** trabalhar *[traballár]*
**traducir** traduzir *[tradussír]*
**traer** trazer *[trassér]*
**traje** fato *[fátu]*
**traje de noche** fato de noite / traje a rigor (BR) *[fátu dd noítt / traGi a jigor]*
**trámite** trâmite *[trámite]*
**tranquilo/-a** tranquilo/-a *[tranquílu/-a]*
**transbordador** transbordador *[transbordadór]*
**transferencia** transferência *[transferénsia]*
**transfusión** transfusão *[transfussãu]*
**tranvía** eléctrico *[elétricu]*
**tren** comboio *[combóiu]*
**tribunal** tribunal *[tribunál]*
**tripa** barriga *[bajíga]*
**triste** triste *[tríshte]*
**tropical** tropical *[tropicál]*
**tú** tu *[tu]*
**tubería** tubagem *[tubaGeim]*
**tumba** túmulo *[túmulu]*
**túnel** túnel *[túnel]*
**tuyo/-a, -os, -as** teu/tua/teus/tuas *[teu/tua/teush/tuash]*

**úlcera** úlcera *[úlsera]*
**último/-a** último/-a *[últimu/-a]*
**universidad** universidade *[universidádd]*
**universitario/-a** universitário/-a *[universitáriu/-a]*
**uña** unha *[uña]*
**urbanización** urbanização *[urbanissasãu]*
**urgencias** urgências *[urgénsiash]*
**urgente** urgente *[urgénte]*
**usado/-a** usado/-a *[ussádu/-a]*
**usar** usar *[ussár]*
**usted(es)** o(s) senhor(es) / a(s) senhora(s) *[u señór / a señóra]*
**útil** útil *[util]*

**vaca** vaca *[váca]*
**vacaciones** férias *[fériash]*
**vacío** vazio *[vassíu]*
**vacuna** vacina *[vasína]*
**vacunar** vacinar *[vasinár]*
**vajilla** loiça / louça (BR) *[loisa/ lousa]*
**valiente** corajoso *[coraGióso]*
**valioso/-a** valioso/-a *[valióssu/-a]*
**valle** vale *[vále]*
**vapor** vapor *[vapór]*
**vaso** copo *[cópu]*
**váter** sanita / vaso sanitário (BR) *[saníta / vasso sanitário]*
**vehículo** veículo *[veículu]*
**vela** vela *[véla]*
**velocidad** velocidade *[velosidádd]*
**vendaje** ligadura *[ligadúra]*
**vendedor/-a** vendedor/-a *[vendedór/-a]*
**vender** vender *[vendér]*
**veneno** veneno *[venénu]*
**venta** venda *[vénda]*
**venta ambulante** venda ambulante *[vénda ambulántt]*
**ventana** janela *[Gianéla]*
**ventilador** ventoinha *[ventuíña]*
**ver** ver *[ver]*
**verdad** verdade *[verdádd]*
**vestido** vestido *[veshtídu]*
**viejo/-a** velho/-a *[véllu/-a]*
**vigilancia** vigilância *[vigilãnsia]*
**vigilante** vigilante *[vigilãntt]*
**vino** vinho *[víñu]*
**visado** visto *[víshtu]*
**visillo** cortina *[curtína]*
**visita** visita *[vissta]*
**vista** vista *[víshta]*
**viudo/-a** viúvo/-a *[viúvu/-a]*
**vivir** viver *[vivér]*
**volante** volante *[voántt]*
**volar** voar *[vuar]*
**volcar** tombar *[tombár]*
**voltaje** voltagem *[voltáGem]*
**volver** voltar *[voltár]*
**vomitar** vomitar *[vumitár]*
**vosotros/-as** vocês *[vosésh]*
**voz** voz *[vósh]*
**vuelo** voo *[vóo]*
**vuelta** volta *[vólta]*
**vuestro/-a, -os/-as** vosso/-a, -os/-as *[vosu/-a, -ush/-ash]*

**yate** iate *[iáte]*
**yegua** égua *[égua]*
**yo** eu *[éu]*
**yodo** iodo *[iódu]*

**zapatilla** ténis (desporto) *[ténish]*
**zapato** sapato *[sapátu]*
**zarpar** sarpar *[ssarpár]*
**zona** zona *[ssóna]*
**zoológico** jardim zoológico *[jardím ssoolóGicu]*
**zurdo/-a** canhoto/-a *[cañótu/-a]*

# portugués-español

abaixo abajo
abandonar abandonar
abelha abeja
aberto/-a abierto/-a
aborrecido/-a aburrido/-a
abridor de latas abrelatas
abrir abrir
absorvente higiênico (BR) compresa
acabar acabar
acampar acampar
aceitar aceptar
acender encender
acidente accidente
acima arriba
acompanhar acompañar
acordado despierto
acordar despertar(se)
acreditar creer
adega bodega
adiar aplazar
admitir admitir
advogado/-a abogado/-a
afogar-se ahogarse
agência agencia
agora ahora
agradável agradable
agradecer agradecer
água agua
agulha aguja
aí ahí
ajuda ayuda
ajudar ayudar
alarme alarma
alcançar alcanzar
álcool alcohol
aldeia pueblo
alegre alegre
além, lá allá
alfabeto alfabeto
alfinete alfiler
alfinete broche
alfinete imperdible
algodão algodón
alguém alguien
alguma coisa algo
alí allí
aliás además
alimento alimento
almofada almohada
alojamento alojamiento
altar altar
alto/-a alto/-a
altura altura
alugar alquilar
aluno/-a alumno/-a
amador/-a aficionado/-a
amanhã mañana (día siguiente)
amanhecer amanecer
amar amar
amargo/-a amargo/-a
amável amable
ambulância ambulancia
ameaçar amenazar
amigo/-a amigo/-a
amor amor
amortecedor amortiguador
analgésico analgésico
andar andar
andar piso, planta
anel anillo, sortija
animal animal
aniversário cumpleaños
anoitecer anochecer
ansioso/-a ansioso/-a
antebraço antebrazo
antena antena
anterior anterior
antes antes
antigo/-a antiguo/-a
antiquário anticuario
anúncio anuncio
apagar apagar

apanhar coger
apartamento apartamento
apelido apellido
aplaudir aplaudir
apostar apostar
aprender aprender
aproximadamente
aproximadamente
aquecer calentar
aquecimento calefacción
aqui aquí
ar aire
arame alambre
aranha araña
arco arco
areia arena
armação montura [gafas]
armário armario
arrancar arreglar
arranha-céu rascacielos
arranhadela rasguño
arredor alrededor
arte arte
artificial artificial
artista artista
árvore árbol
áspero/-a áspero/-a
aspirina aspirina
assalto atraco
assassinar asesinar
assegurar asegurar
assento asiento
assinar firmar
assistir asistir
assustar asustar
até hasta
aterrar aterrizar
atrás atrás
atrás detrás
atrasar atrasar
atravessar cruzar
ausente ausente
autocarro autocar
auto-estrada autopista
autoridade autoridad
auto-serviço autoservicio
avançar avanzar
avaria avería
avenida avenida
aviso aviso
azedo/-a ácido/-a

baía bahía
bairro barrio
baixo/-a bajo/-a
bala [BR] caramelo
balcão mostrador
banheira bañera
banheiro [BR] cuarto de baño, servicio
barata cucaracha
barato/-a barato/-a
barba barba
barriga tripa
bastante bastante
batalha batalla
bater golpear, pegar
bateria batería
bêbado/-a borracho/-a
beber beber
beijo beso
bem bien
benefício beneficio
berço cuna
biblioteca biblioteca
bicha cola [fila]
bicho bicho
bicicleta bicicleta
bidé bidé
bigode bigote
blusa blusa
blusão chaquetón

boca boca
bola pelota
bolso bolsillo
bom / boa bueno/-a
bomba bomba
bombeiro bombero
boné [BR] gorra
boneco/-a [brinquedo] muñeco/-a [juguete]
bonito/-a guapo/-a
borboleta mariposa
bosque bosque
botão botón
braço brazo
brincar jugar
brincos pendientes
brinquedo juguete
bronzeador bronceador
bule tetera
buraco agujero
buscar buscar
bússola brújula

cabeça cabeza
cabelo cabello
cabelo pelo
cabide percha
cabina cabina [teléfono]
cabo cable
caça caza
cachecol bufanda
cadeira silla
caderno cuaderno, libreta
café da manhã [BR] desayuno
cafeteira cafetera
cair caer[se]
cais muelle
caixa caja
caixa de correio buzón
caixa de primeiros socorros botiquín
calção de banho [BR] bañador
calças pantalón
calcinha [BR] braga
calendário calendario
cálice copa
calor calor
cama cama
camarote camarote
cambiar cambiar
câmbio cambio
camião camión
caminho camino
camioneta autobús
camisa camisa
camiseta [BR] camiseta
camisinha [BR] condón
campo campo
camponês/-a campesino/-a
canal canal
canção canción
candeeiro lámpara
caneta bolígrafo
canhoto/-a zurdo/-a
cansado/-a cansado/-a
cantar cantar
cantor/-a cantante
cão perro
capela capilla
capital capital
cara cara
carne carne
carro coche
carta carnet, carta
cartaz letrero
carteiro/-a cartero/-a [profesión]
carvão carbón
casa casa
casaco chaqueta
casa-de-banho cuarto de baño, servicio

# Diccionario de viaje

casado/-a casado/-a
casar casarse
castanho/-a castaño/-a
castelo castillo
castigar castigar
catálogo catálogo
catedral catedral
católico/-a católico/-a
cavalgadura montura (caballo)
cavalheiro caballero
cavalo caballo
cedo pronto, temprano
cego/-a ciego/-a
cemitério cementerio
cena escena
cérebro cerebro
cerveja cerveza
cesto de papéis papelera
ceu cielo
chaga llaga
chaleira tetera
chama llama (fuego)
chamar(-se) llamar(se)
champô champú
chão suelo
chapéu sombrero
chave llave
chefe jefe
chegada llegada
chegar llegar
cheirar oler
chicle (BR) chicle
choque choque
chorar llorar
chover llover
chuva lluvia
chuvoso/-a lluvioso/-a
cicatriz cicatriz
cidade ciudad
ciência ciencia
cimo cima
cinto cinturón
cintura cintura
cinzeiro cenicero
círculo círculo
cobertor manta
cobra culebra, serpiente
coisa cosa
colar collar
colcha colcha
colchão colchón
colégio colegio
colher cuchara
collants medias
com con
comboio tren
começar comenzar, empezar
comer comer
cómico/-a cómico/-a
comida comida
comigo conmigo
companhia compañía
complicado/-a complicado/-a
comprar comprar
compreender comprender, entender
comprido/-a largo/-a
comprimido pastilla
comum común
concerto concierto
condenar condenar
condição condición
conferência conferencia
confortável cómodo/-a
conforto comodidad
confuso/-a confuso/-a
congelado/-a congelado/-a
congresso congreso
conhecer conocer
conseguir conseguir
conselho consejo
constipado constipado (enfermedad)
cônsul cónsul
conta cuenta
contagioso/-a contagioso/-a

contar contar
contente contento/-a
continuar continuar
conversação conversación
conversar charlar
copo vaso
coração corazón
corajoso valiente
corda cuerda
corredor pasillo
correr correr
corrimão barandilla
cortar cortar
cortiça corcho
cortina cortina
cortina visillo
coser coser
costa costa
costas espalda
costume costumbre
cotovelo codo
coxa muslo
cozinha cocina
creme crema
crer creer
cristão/-ã cristiano/-a
cruz cruz
cruzamento cruce
cuecas calzoncillos, bragas
cuidar cuidar
culpa culpa
cultura cultura
cumprimento saludo
curva curva
custar costar

dança baile, danza
dançar bailar
dano daño
dar dar
debaixo debajo
decidir decidir
decisão decisión
declarar declarar
dedo dedo
deficiência invalidez
deitar echar
deitar-se acostarse
deixar dejar
demasiado demasiado
democracia democracia
demorar tardar
dentada mordisco
dentadura [PR] dentadura
dente diente, muela
dentição [BR] dentadura
dentro dentro
denunciar denunciar
depois luego
depósito consigna, depósito
desagradável desagradable
descansar descansar
descer bajar
descolar despegar
desconhecido/-a desconocido/-a
desconto descuento
descrever describir
desculpa disculpa
desejar desear
desejo deseo
desenhar dibujar
deserto desierto
desfrutar disfrutar
desgostar disgustar
desgraça desgracia
desigual desigual
desmaiar desmayarse
desmaio desmayo
despedir despedir
despertador despertador
despesas gastos
detalhe detalle

# Diccionario de viaje

**deter-se** detenerse
**detido/-a** detenido/-a
**deus** dios
**devagar** despacio
**dever** deber
**dia** día
**diante** delante
**diário** diario/-a
**diarreia** diarrea
**dicionário** diccionario
**dieta** régimen
**diferença** diferencia
**diferente** distinto/-a
**difícil** difícil
**dinheiro** dinero
**direcção** dirección
**director/-a** director/-a
**direito/-a** derecho/-a
**dirigir** conducir, dirigir
**discoteca** discoteca
**disparo** disparo
**disponível** disponible
**disposto/-a** dispuesto/-a
**distrito** distrito
**diversão** diversión
**divertido/-a** divertido/-a
**divertir-se** divertirse
**dívida** deuda
**dividir** dividir
**divisa** divisa
**divisória** tabique
**divórcio** divorcio
**dizer** decir
**doce** dulce
**documento** documento
**doença** enfermedad
**doente** enfermo/-a
**doer** doler
**doloroso/-a** doloroso/-a
**domicílio** domicilio
**dono/-a** dueño/-a
**dor** dolor
**dormir** dormir
**doutor/-a** doctor/-a
**droga** droga
**ducha** [BR] ducha
**duche** ducha
**duplo** doble
**durar** durar
**duro/-a** duro/-a

**edifício** edificio
**edredão** edredón
**educação** educación
**educado/-a** educado/-a
**égua** yegua
**ela** ella
**ele** él
**electricidade** electricidad
**eléctrico** tranvía
**electrodoméstico** electrodoméstico
**eleição** elección
**elevador** ascensor
**em** en
**em cima** [de] encima [de]
**em frente** enfrente
**embaixada** embajada
**embalagem** embalaje
**embarcar** embarcarse
**embebedar** emborracharse
**embrulhar** envolver
**emoção** emoción
**empregado/-a** empleado/-a, dependiente
**empregado/-a de mesa** camarero/-a
**emprego** empleo
**empurrar** empujar
**encantado/-a** encantado/-a
**encarregado/-a** encargado/-a
**encher** llenar

encontrar encontrar
encontro cita, encuentro
endereço dirección (postal)
energia energía
enfermeiro/-a enfermero/-a
enganar engañar
enganar-se equivocarse
engano engaño
engarrafamento atasco (tráfico)
engordar engordar
engordurar engrasar
engraçado/-a gracioso/-a
enquanto mientras
ensinar enseñar
entardecer atardecer
enterar-se enterarse
enterro entierro
entreacto entreacto
entregar entregar
entrevista entrevista
envergonhado/-a avergonzado/-a
enviar enviar
equipa equipo
equipe (BR) equipo
errado/-a equivocado/-a
erro error
erva hierba
escada escalera
escasso/-a escaso/-a
escola escuela
escolher elegir, escoger
escorregadio/-a resbaladizo/-a
escorregar resbalar
escova de cabelo cepillo (pelo)
escova de dentes cepillo (dientes)
escrever escribir
escritório oficina
escuro/-a oscuro/-a
escutar escuchar
esgoto desagüe
espaço espacio
especial especial
especialidade especialidad
espectáculo espectáculo
espelho espejo
esperanza esperança
esperar esperar
espinha espina
esquadra da policía comisaría
esquecer olvidar
esquerdo/-a izquierdo/-a
esquina / canto esquina
esquisito/-a extraño/-a, raro/-a
estação estación
estacionamento aparcamiento
estacionar aparcar
estátua estatua
este este
estômago estómago
estrada carretera
estragar estropear
estrangeiro/-a extranjero/-a
estreito/-a estrecho/-a
estrela estrella
estudante estudiante
estudar estudiar
estúpido/-a estúpido/-a, tonto/-a, idiota
etiqueta etiqueta
eu yo
evitar evitar
exacto/-a exacto/-a
exame examen
excelente excelente
excepto excepto
excursão excursión
excusa excusa
exemplo ejemplo
exercício ejercicio
exército ejército
êxito éxito
experimentar probar (comida)
explicar explicar
exposição exposición

fábrica fábrica
faca cuchillo
face mejilla
fácil fácil
falar hablar
falso/-a falso/-a
família familia
farmácia farmacia
fato traje
fato de banho bañador
fato de noite traje de noche
fazer hacer
fazer a barba afeitarse
febre fiebre
fechadura cerradura
fechar[-se] cerrar[se]
feliz feliz
felizmente afortunadamente
férias vacaciones
ferida herida
ferro hierro
ferro plancha (de ropa)
festa fiesta
ficha ficha
fígado hígado
fila (BR) cola (fila)
filme película (cine)
fim fin
fim de ano nochevieja
fio hilo
flor flor
fogo fuego
folha (papel) hoja (papel)
fome hambre
fonte fuente
força fuerza
forma forma
formiga hormiga
forno horno
forte fuerte
fósforo cerilla
foto fotografía
fraco débil
fraude estafa
frequente frecuente
frigideira sartén
frio frío
fronteira frontera
fruta fruta
frutaria frutería
fuga huida
fumar fumar
fumo humo
função función
funcionar funcionar
fundo fondo
fundo/-a hondo/-a
furacão huracán
furar[-se] pinchar[se]
furo pinchazo
futebol fútbol
futuro futuro

gabardina gabardina
galeria galería
ganhar ganar
garantido/-a garantizado/-a
garçom (BR) camarero/-a
garfo tenedor
garganta garganta
garrafa botella
gás gas
gastar gastar
gastos gastos
gato gato
gaveta cajón
gelo hielo
generoso generoso/-a
genitais genitales

gente gente
geografia geografía
ginásio gimnasio
glúteo[s] glúteo[s]
golpe golpe
gordo/-a gordo/-a
gorro gorro, gorra
gostar gustar
gosto gusto
gota gota
governo gobierno
grande grande
granizar granizar
greve huelga
gripe gripe
gritar chillar
grito grito
grosseiro/-a grosero/-a
grupo grupo
guarda guardia
guarda-chuva paraguas
guardanapo servilleta
guardar guardar
guerra guerra

habitante habitante
habituado/-a acostumbrado/-a
haver haber
helicóptero helicóptero
herança herencia
herói héroe
hispanoamericano/-a hispanoamericano/-a
história historia
hoje hoy
homem hombre
homicida homicida
honrado/-a honrado/-a
horas hora
hospedagem hospedaje
hospital hospital
hospitalidade hospitalidad
humano/-a humano/-a
húmido húmedo

iate yate
idade edad
ideia idea
identificação identificación
idoso/-a anciano/-a
igreja iglesia
igual igual
ilegal ilegal
ilha isla
ilhó ojal
imaginação imaginación
imigração inmigración
imitação imitación
impermeável impermeable
importante importante
incidente incidente
incluído/-a incluido/-a
incolor incoloro/-a
incomodar molestar
incómodo molestia
incómodo/-a incómodo/-a
incompleto/-a incompleto/-a
indemnização indemnización
independência independencia
indicar indicar
indigestão indigestión
indivíduo individuo
inimigo/-a enemigo/-a
injecção inyección
injusto/-a injusto/-a
inocente inocente
inquilino/-a inquilino/-a
insecto insecto

inspeccionar inspeccionar
inspector/-a inspector/-a
instituto instituto
inteiro/-a entero/-a
intelectual intelectual
inteligente inteligente
intenso/-a intenso/-a
interpretar interpretar
intérprete intérprete
interruptor interruptor
inundação inundación
inútil inútil
inventário inventario
investigar investigar
iodo yodo
ir ir
ir embora marcharse
irritar irritar
isqueiro encendedor, mechero

jamais jamás
janela ventana
jantar cena
jantar cenar
jardim jardín
jardim zoológico zoológico
joelho rodilla
jogar jugar
jogar fora (BR) echar
jogo juego
jóia joya
jornal periódico
jovem joven
juiz juez
juízo juicio
julgar juzgar
justiça justicia
justo/-a justo/-a
juvenil juvenil

lã lana
lábio labio
ladrão/-a ladrón/-a
lagarto lagarto
lago lago
lagosta langosta
lamentar lamentar
lâmpada bombilla
lanche merienda
lanterna linterna
lápis lápiz
laranja naranja
largo/-a ancho/-a
lavandaria lavandería
lavar-se lavar(se)
lavatório lavabo
laxante laxante
legenda leyenda
lei ley
lembrança recuerdo
lembrar recordar
lenço pañuelo
lençol sábana
lenha leña
lentes de contacto lentes de contacto
lento/-a lento/-a
ler leer
levantar-se levantarse
levar llevar
liberdade libertad
lição lección
licença licencia, permiso
licor licor
ligadura vendaje
ligar llamar por teléfono / telefonear
limite límite
limpar limpiar
limpo/-a limpio/-a

lindo/-a guapo/-a
lingerie lencería
língua idioma, lengua
liso/-a liso/-a
lista lista
liteira litera
livraria librería
livre libre
livro libro
lixívia lejía
lixo basura
local lugar
locomotiva locomotora
loiça vajilla
loiro/-a rubio/-a
loja tienda
longe lejos
longo/-a largo/-a
louça (BR) vajilla
louco/-a loco/-a
lua luna
lugar lugar
luto luto
luva guante
luxuoso/-a lujoso/-a
luz luz

maçã do rosto mejilla
macio/-a suave
madrugar madrugar
magnífico/-a magnífico/-a
magro/-a delgado/-a
magro/-a flaco/-a
maior mayor
maioría mayoría
mais más
mal mal
mala maleta
manancial manantial
mancha mancha
mandar mandar
manga manga
manhã mañana (parte del día)
manivela manivela
mão mano
mapa mapa
máquina de calcular calculadora
máquina de lavar lavadora
mar mar
marca marca
maré marea
mármore mármol
marquês/-esa marqués / marquesa
martelo martillo
mas pero
massagem masaje
matar matar
material material
matrícula matrícula
mau / má malo/-a
mausoléu mausoleo
medicina medicina
medida medida
medo miedo
meia calcetín
meias medias
melhor mejor
melhorar mejorar
membro miembro (parte de un grupo)
mendigo mendigo
menino/-a niño/-a
menor menor
menos menos
mensagem mensaje
mentir mentir
mentira mentira
mercado mercado
mesa mesa
mesquita mezquita
mestre/-a maestro/-a

metal metal
meter meter
meu(s), minha(s) mío(s), mía(s)
minuto minuto
missa misa
misturado/-a mezclado/-a
mochila mochila
moço/-a (BR) muchacho/-a
moda moda
moeda moneda
mole blando/-a
molhado/-a mojado/-a
momento momento
montanha montaña
monte monte
montra escaparate
monumento monumento
moreno/-a moreno/-a
morrer morir
morto/-a muerto/-a
mosaico mosaico
mosca mosca
mosquito mosquito
mota moto
motor motor
móvel mueble
mover mover
mudança cambio
mudar cambiar
muito muy
mulher mujer
multa multa
músculo músculo
música música (arte)
músico/-a músico/-a (profesión)

nação nación
nacionalidade nacionalidad
nada nada
nadar nadar
nádega nalga
namorado/-a novio/-a
não no
nariz nariz
nascer nacer
navegar navegar
necessaire neceser
necessário necesario
necessidade necesidad
negócio negocio
nenhum ninguno/-a
nervo nervio
nervoso/-a nervioso/-a
nevar nevar
neve nieve
nevoeiro niebla
ninguém nadie
nível nivel
nódoa mancha
noite noche
nome nombre
normal normal
norte norte
nós nosotros/-as
nosso/-a,-os,-as nuestro/-a, -os, -as
notícia noticia
novo/-a nuevo/-a
nu/-a desnudo/-a (adj.)
nublado/-a nublado/-a
nudista nudista
número número
nunca nunca
nuvem nube

oásis oasis
objecto objeto

obra obra
obrigado/-a gracias
obrigatório/-a obligatorio/-a
obséquio obsequio
observatório observatorio
obter obtener
ocasião ocasión
océano océano
óculos gafas
ocupado/-a ocupado/-a
odiar odiar
oeste oeste
olfacto olfato
olhar mirar
olho ojo
ombro hombro
onda ola
ônibus [BR] autocar
ontem ayer
ontem à noite anoche
ópera ópera
oposto/-a opuesto/-a
óptica óptica [tienda]
oração oración
orelha oreja
órgão órgano [parte del cuerpo]
orgulhoso/-a orgulloso/-a
orquestra orquesta
orquídea orquídea
osso hueso
outro/-a otro/-a
ouvido oído
ouvir oír
ovelha oveja
oxigénio oxígeno

paciência paciencia
paciente paciente
pacote paquete
padaria panadería
pagar pagar
página página
país país
palavra palabra
palácio palacio
pálido/-a pálido/-a
palmeira palmera
pancada golpe
pântano pantano
pão pan
papel papel
papelaria papelería
par pareja
para para, hacia
parafuso tornillo
parar parar
parecer parecer
parede pared
parque parque
partido/-a roto/-a
partir[-se] romper[se]
passagem pasaje
passaporte pasaporte
passar a ferro planchar
pássaro pájaro
passeio acera
pasta maletín, cartera
pastelaria pastelería
pastilha elástica chicle
patrulha patrulla
pau palo
pavilhão pabellón
paz paz
peão peatón
peça de teatro obra de teatro
pedir pedir
pedra piedra
peito pecho
peixaria pescadería
peixe pescado, pez
pelve pelvis
península península

pensão pensión
pensar pensar
penso higiénico compresa
pente peine
penteado peinado
pequeno/-a pequeño/-a
pequeno-almoço desayuno
perder perder
perdido/-a perdido/-a
perfeito/-a perfecto/-a
pergunta pregunta
perigo peligro
permanecer permanecer
permitir permitir
perna pierna
perseguir perseguir
persiana persiana
pertencer pertenecer
pesca pesca
pescar pescar
pescoço cuello
pessoa persona
pestana pestaña
petróleo petróleo
piada broma
picada picadura
pijama pijama
pilha pila (batería)
piloto piloto
pílula píldora
pingente colgante
pingo gota
pintar pintar, teñir
piorar empeorar
piscina piscina
pistola pistola
planície llanura
plano plano
plateia patio de butacas
pneu neumático
pó polvo (suciedad)
pobre pobre
polícia policía
pomada pomada
pomba paloma
ponte puente
pôr(-se) poner(se)
porco cerdo
porta puerta
portagem peaje
portal portal
porteiro/-a portero/-a
posto de informação oficina de información
pote bote
pouco/-a poco/-a
praça plaza
praia playa
prato plato
precioso/-a precioso/-a
preço precio
preferir preferir
prémio premio
prenda regalo
presente presente, regalo
preservativo preservativo, condón
preto/-a negro/-a
prisão cárcel
prisão de ventre estreñimiento
problema problema
procurar buscar
professor/-a profesor/-a
profissão profesión
profundo/-a profundo/-a
proibido/-a prohibido/-a
pronunciar pronunciar
protecção protección
província provincia
próximo/-a cercano/-a
próximo/-a próximo/-a
pular saltar
pulmão pulmón
pulôver jersey
pulseira pulsera
puro/-a puro/-a (adj.)

quadril cadera
quadro cuadro
qual cuál
qualidade calidad
quantidade cantidad
quarto dormitorio, habitación
quebra-mar rompeolas
queimadura quemadura
queimar quemar
quente caliente
querer querer
quilo kilo
quirófano quirófano

raça raza
rádio radio
rainha reina
raio rayo
rapaz / rapariga muchacho/-a
rápido/-a rápido/-a
rato rata
rato ratón
razão razón
rebuçado caramelo
recado recado
receber recibir
receita receta
recibo recibo
reclamar reclamar
recolher recoger
recusar rechazar
reembolso reembolso
refrigerante refresco
refúgio refugio
regulamento reglamento
rei rey
relâmpago relámpago
religião religión
religioso/-a religioso/-a
relógio reloj
repetir repetir
repórter reportero/-a
representante representante
reservar reservar
resfriado catarro
residente residente
resolver decidir, resolver
respiração respiración
respirar respirar
responder responder
responsabilidade responsabilidad
resposta contestación, respuesta
ressaca resaca
resultado resultado
retrato retrato
revelar revelar (fotografías)
revisor revisor, cobrador
revista revista
rico rico
riço rizo
rim riñón
rio río
rir reír
riso risa
rocha roca
roda rueda
rolo carrete (fotos)
romance novela
rota ruta
roubo robo
roupa ropa
roupa interior ropa interior
rua calle
ruído ruido
ruidoso/-a ruidoso/-a

# Diccionario de viaje

ruivo/-a pelirrojo/-a
rural rural

sabão jabón
saber saber
sábio/-a sabio/-a
sabor sabor
sacar sacar
saca-rolhas sacacorchos
sacerdote sacerdote
saco de dormir saco de dormir
saia falda
sair salir
sala de espera sala de espera
sala de jantar comedor
saldos rebajas
saltar saltar
salto tacón
salvar salvar
salva-vidas salvavidas
sangue sangre
sanita váter
sapato zapato
saraiva granizo
sarpar zarpar
saúde salud
secador de cabelo secador de pelo
secar(-se) secar(se)
seco/-a seco/-a
século siglo(f)
sede sed
seguinte siguiente
seguir seguir
segurança seguridad
selo sello
selva selva
selvagem salvaje
semáforo semáforo
semana semana
semelhante semejante
sempre siempre
sentido sentido (dirección)
sentir sentir
ser ser
serviço servicio
servir servir
sessão sesión
sexo sexo
silêncio silencio
sim sí
simpatia simpatía
simpático simpático/-a
simples sencillo
sinal (marca) señal (marca)
sincero sincero
sino campana
sobrancelha ceja
sobrenome (BR) apellido
sobretudo abrigo
sol sol
sólido sólido
solo suelo
solteiro/-a soltero/-a
som sonido
somar sumar
sombra sombra
sopa sopa
sorriso sonrisa
sorte suerte
sotaque acento (entonación de la voz)
soutien sujetador, sostén
submergir sumergir
subterrâneo subterráneo
subúrbio suburbio
suicídio suicidio
sujo/-a sucio/-a
sul sur
supermercado supermercado
surdo/-a sordo/-a

tabaco tabaco
taberna taberna
taça copa
tacto tacto
talho carnicería
tampa tapa
tampão tampón
tapete alfombra
tarde tarde
tecido tela
tecto techo
telefonar llamar por teléfono / telefonear
telegrama telegrama
telhado tejado
tempestade tempestad
tempo tiempo
ténis zapatilla deportiva
tenso/-a tieso/-a
ter tener
ter saudade echar de menos
terminar terminar
termómetro termómetro
terra tierra
terraço terraza
tesoura tijeras
testa frente (de la cara)
teu tuyo
teus tuyos
tímido/-a tímido/-a
tinta pintura, tinta, tinte
tipo tipo
tira-nódoas quitamanchas
tirar quitar
toalha toalla
toalha de mesa mantel
tocar sonar
tomada enchufe
tomar banho bañarse
tomar café da manhã (BR) desayunar
tombar volcar
torneira grifo
tornozelo tobillo
tosse tos
trabalhador/-a trabajador/-a
trabalhar trabajar
traduzir traducir
traje a rigor (BR) traje de noche
trâmite trámite
tranquilo/-a tranquilo/-a
transbordador transbordador
transferência tranferencia
transfusão transfusión
transpiração sudor
travão freno
trazer traer
tribunal tribunal
triste triste
trocar cambiar
troco cambio
tropical tropical
T-shirt camiseta
tu tú
tua(s) tuya(s)
tubagem tubería
túmulo tumba
túnel túnel

úlcera úlcera
último/-a último/-a
unha uña
universidade universidad
universitário/-a universitario/-a
urbanização urbanización
urgências urgencias
urgente urgente
urso oso

usado/-a usado/-a
usar usar
útil útil

vaca vaca
vacina vacuna
vacinar vacunar
vale valle
valioso/-a valioso/-a
vapor vapor
varanda balcón
varrer barrer
vaso sanitário [BR] váter
vassoura escoba
vazio vacío
veículo vehículo
vela vela
velho/-a viejo/-a
velocidade velocidad
veludo terciopelo
venda venta
venda ambulante venta ambulante
vendedor/-a vendedor/-a
vender vender
veneno veneno
ventoinha ventilador
ver ver
verdade verdad
vespa avispa
véspera de Natal nochebuena
vestido vestido
vestígios [arqueológicos] ruina
vigilância vigilancia
vigilante vigilante
vinho vino
viola guitarra
visita visita
vista vista
visto visado
vitrine [BR] escaparate
viúvo/-a viudo/-a
viver vivir
voar volar
vocês vosotros/-as
volante volante
volta vuelta
voltagem voltaje
voltar volver
vomitar vomitar
vontade ganas de, deseo de
voo vuelo
vosso/-a, -os/-as vuestro/-a, -os/-as
voz voz

zangado/-a enfadado/-a
zona zona